Эта книга принадлежит

_____

Контакты владельца

_____

Ankowski, Amber
Chto u nego v golove?

Amber Ankowski and Andy Ankowski

Think
Like a Baby

33 Simple Research Experiments You
Can Do at Home to Better Understand
Your Child's Developing Mind

CHICAGO
REVIEW
PRESS

Эмбер Анковски и Энди Анковски

Что у него в голове?

Простые эксперименты, которые помогут
родителям понять своего ребенка

Перевод с английского Сергея Филина

Москва
«Манн, Иванов и Фербер»
2016

УДК 159.922.7
ББК 88.41
    А67

Издано с разрешения Susan Schulman A Literary Agency
and Chicago Review Press through P. & R. Permissions & Rights Ltd.,
Riga Fereou street No. 2, Limassol Center, Block B, Office No. 509,
Limassol 3095, Cyprus working in conjunction with Prava i Prevodi

На русском языке публикуется впервые

Анковски, Эмбер

А67   Что у него в голове? Простые эксперименты, которые помогут родителям понять своего ребенка / Эмбер Анковски, Энди Анковски ; пер. с англ.
Сергея Филина. — М. : Манн, Иванов и Фербер, 2016. — 240 с.

         ISBN 978-5-00057-800-1

О том, как развиваются дети и как их воспитывать, написаны тысячи
книг. Но ничто не сравнится с собственными наблюдениями и выводами,
особенно если они сделаны вовремя. С этой книгой вы можете воспроизвести
дома классические эксперименты из области детской психологии, которые
помогают понять, как мыслит ваш малыш — начиная с младенчества и до семи
лет. Результаты таких экспериментов имеют самое что ни на есть практическое
значение: теперь вы сможете избежать детских истерик, уменьшить потребление
сладкого, дать старт развитию памяти и ответственности. А кроме того, вы
получите ни с чем не сравнимое удовольствие исследователя.

УДК 159.922.7
ББК 88.41

VEGAS LEX

ISBN 978-5-00057-800-1

Содержание

*Сэмми и Фредди — нашим любимым
подопытным морским свинкам*

Введение

Не важно, сколько вы прочли книг, посмотрели видео и посетили курсов, посвященных воспитанию детей, прежде чем ваш малыш появился на свет. Рано или поздно этот момент неизбежно наступает.

Вначале у вас перехватывает дыхание. Потом глаза лезут на лоб, сердце падает куда-то в живот, а в голове вертится только одна мысль: «И как на это реагировать?»

Когда *этот момент* настанет в вашей жизни (поверьте, это обязательно случится), вы решите, что вы, наверное, плохой родитель. Но ведь вы же не знаете *точно*, как заботиться о своем малыше. Вы не видите, что происходит в его крошечной и такой любимой головке. Вы даже о содержимом его подгузника не догадались бы, не будь у него волшебной полоски, меняющей цвет.

Почему так трудно понимать своих детей? Как узнать их лучше? Можно ли избежать стресса, вызванного безуспешными попытками представить себя в этом возрасте?

В этом вам поможет книга, которую вы держите в руках, и лежащие в ее основе научные исследования.

Психологи, изучающие процессы мышления, обучения и развития мозга, знают: если бы родители могли заглянуть в головы своих детей, у них было бы гораздо больше шансов определить, чего те хотят, и дать им это. Им известно, что узнать мысли ребенка гораздо труднее, чем взрослого. Новорожденного нельзя даже спросить, о чем он думает. А когда малыш подрастет и начнет разговаривать, мы тратим время не столько на обсуждение деталей его мыслительного процесса, сколько на попытки расшифровать его восхитительно неправильное произношение. *Ядиги? Это ягоды. Кампутоб? Компьютер*, естественно.

И как же исследователям удается понять, что происходит в мозге ребенка? Ответ можно найти в любом школьном учебнике: с помощью экспериментов.

Если вы забыли то, чему вас учили в школе, прочтите краткое пояснение. По сути эксперимент — тщательно спланированная проверка гипотезы, призванная ее подтвердить или опровергнуть. Что такое гипотеза? Предположение о том, что произойдет в результате эксперимента. Предположим, вас интересует, как растут растения. Ваша гипотеза такова: удобрения ускоряют их рост. В качестве эксперимента вы сажаете два одинаковых семечка в два одинаковых горшка, ставите их на одно окно и поливаете ежедневно одинаковым количеством воды. Разница только в том, что в один горшок вы добавляете удобрения. В течение следующих недель вы сможете наблюдать и измерять, как быстро растут ваши «питомцы», и подтвердить или опровергнуть свою гипотезу.

(Раскроем секрет: с удобрением растение растет быстрее. Кто бы мог подумать!)

Эксперименты помогли людям сделать множество важных открытий: найти лекарство от полиомиелита, полететь в космос и обнаружить тот поразительный факт, что жареная курятина и вафли удивительно хорошо сочетаются друг с другом.

А еще именно благодаря им мы знаем всё то, что знаем о развитии детей. Каждый день тысячи исследователей во всем мире готовят, проводят и оценивают результаты экспериментов, которые помогают им понять, как думают дети. Часто в них используются сложное лабораторное оборудование и изощренный статистический анализ, но сами идеи достаточно просты.

Поэтому-то мы решили написать эту книгу. Можно взять некоторые классические, проверенные эксперименты детских психологов и упростить их, чтобы *вы сами* могли их осуществить и лучше узнать своего ребенка. Вы сможете понять его мышление на разных стадиях развития, сделаете выводы, как с ним разговаривать, сколько времени разрешать проводить перед телевизором и каких популярных детских устройств избегать. При этом описанные эксперименты незамысловаты и не требуют больших затрат времени и специальных условий.

У скептиков, возможно, возникнет мысль: «Научные эксперименты над моим маленьким сладким медвежонком? Ни за что». Специально для вас пара комментариев. Во-первых, «медвежонок» — очаровательное прозвище. Продолжайте использовать его, пока ребенок вам это позволяет (букмекеры Лас-Вегаса считают, что после десяти лет шансы у вас невелики). А во-вторых, проведение экспериментов над вашим ребенком — одна из самых естественных вещей в жизни. Если вы хорошенько задумаетесь над тем, что значит вырастить ребенка, то поймете: это один большой эксперимент.

В целом ваш малыш почти ангел, но всю ночь напролет ежечасно будит весь дом душераздирающим воплем, от которого кровь стынет в жилах. И вы проводите небольшой эксперимент, покупая пеленку, специально разработанную для того, чтобы новорожденный не мог пошевелить даже кончиком пальца.

И — о чудо: ребенок-буррито спокоен! Пару месяцев. А потом он отказывается засыпать, пока его не поносят, не покачают, не походят с ним кругами до полного изнеможения. Тогда вы начинаете проводить другие эксперименты, сравнивая антикварное кресло-качалку с его супермодным аналогом, о котором восторженно отзываются в интернете, и пытаясь определить, которое из них поможет быстрее уложить ребенка и вернуться к телевизору (и при этом меньше утомляет спину).

Стоит вам разгадать одну загадку, как ей на смену приходит другая. Как заставить его есть детское пюре (а потом и овощи)? Почему он с прохладцей относится к урокам алгебры? Когда он уже найдет себе хорошую девушку и остепенится наконец? Почему ни он, ни его дети никогда не звонят мне на мой футуристический, 3D-голографический видеофон? Не знают разве, как я скучаю по внукам?

Возможно, эксперименты, описанные в этой книге, и не ответят на все ваши вопросы, но *точно* помогут понять происходящее в голове ребенка лучше, чем любой учебник. Вместо того чтобы читать о том, что он думает и какими способностями должен обладать в том или ином возрасте, вы воочию убедитесь в этом сами.

Для вас самих эти эксперименты тоже будут полезны. Посмотрим правде в глаза: молодым родителям не помешает любая поддержка. За ангельской внешностью скрывается вечное желание досадить вам: испытать заново границы дозволенного, воспользоваться вашими слабостями и выпить больше шоколадного молока, чем может вместиться в малюсенького человечка. Сегодня они отказываются спать, а завтра против вашей воли поместят вас в дом престарелых. И если быть беззаботным, можно проиграть и все остальные битвы между этими двумя событиями.

Вот почему так важны эксперименты и уроки, которые вы из них извлечете. Понимая, что происходит в голове ребенка, вы сможете вернуть себе лидерство и укрепить свое положение главы семьи. Вы узнаете, как вдвое сократить расходы на десерты для детей и добиться, чтобы они откладывали свои мобильники по первому вашему требованию. Чем больше вы знаете о детском мышлении, тем лучше сумеете защитить себя, когда они попытаются надавить на самую больную мозоль.

Суровая правда такова: быть родителем непросто. И страшно. Но ваша паника говорит о том, что вам не все равно. А чтобы быть отличным родителем, этого достаточно.

Ну, и нашей книги, конечно.

Мама-психолог и папа-писатель

Решение о «превращении» своего малыша в подопытную морскую свинку слишком серьезно, чтобы принимать его в одиночку. К счастью, в этой книге есть советы двух компетентных и сочувствующих гидов, готовых помочь вам в исследованиях.

Как и вы, Эмбер (психолог и мама) и Энди Анковски (копирайтер и папа) каждый день участвуют в битве поколений. Конечно, это нелегко, учитывая, что у них дочь, которая в два года решила, что любое указание — только повод для начала переговоров («Хорошо, малыш, можешь поиграть еще три минуты». — «Нет, *все* минуты»), и сын, который в девять месяцев научился пресекать все попытки поменять подгузник. Но зато они обнаружили, что проведение экспериментов, описанных в книге, — отличный способ чуть лучше понять своих детей и повеселиться вместе с ними.

Об экспериментах

Вот несколько важных замечаний. Изучите их, прежде чем надеть белый халат и ходить вокруг своих детей с пробирками. Первое: не ходите вокруг них с пробирками. Ни в одном из наших экспериментов об этих сосудах ни слова. С чего вы вообще взяли, что вам они понадобятся? Второе: для экспериментов вам не нужен белый халат. Но если хотите — наденьте. Это весело. Да и вообще-то он вам чертовски идет.

Третье (и первое серьезное) замечание: эксперименты, описанные в книге, — просто веселый способ узнать что-то новое о ваших детях. Их нельзя использовать для оценки скорости развития малыша. Если ребенок не показывает ожидаемых результатов, это вовсе не повод для беспокойства: в книге указаны лишь *примерные* диапазоны возрастов, это усредненные результаты исследований очень большого количества детей. Нормально, если ребенок начинает совершать те или иные действия на несколько месяцев раньше или позже указанного нами временно́го промежутка. Да, ученые выяснили, что в среднем малыши ведут себя так, как описано в книге. Но это вовсе не значит, что каждый ребенок должен вести себя именно так.

И не забывайте, что ваш ребенок — только *ребенок*. И его поведение может быть непредсказуемым. Результаты детей в ходе экспериментов, как и большинство аспектов их поведения, могут и будут различаться.

И последнее. Если вы все еще ищете причину, по которой эксперименты не сработают в вашем случае, взгляните правде в глаза: возможно, вы просто устали. Вряд ли вы много спите в последнее время.

ПЕРВЫЙ ГОДЪ

НАШИ ПОЗДРАВЛЕНИЯ, РОДИТЕЛИ! Скоро вы почувствуете бо́льшую ответственность, получите право на налоговые вычеты и начнете выносить из дома такие горы мусора, каких и представить себе не можете. А еще вам предстоит узнать много нового о живом комочке, который вы только что произвели на свет. И если детская уже готова, самое время превратить ее в секретную лабораторию и начинать экспериментировать!

Первый год жизни вашего ребенка — время колоссальных изменений. Начинает его малыш крошечным существом, почти неспособным контролировать свое тело, а заканчивает уже не таким крошечным, да еще и способным перемещаться вокруг быстрее, чем вам хотелось бы. Плач его перестает быть бессознательным, рефлекторным и превращается в способ откровенного манипулирования вами, а желание тащить все в рот — в яростное сопротивление попыткам накормить его хоть чем-то овощным.

И поскольку ребенок растет и меняется так быстро, у родителей голова может пойти кругом.

Вот почему в первый год так полезно проводить эксперименты. Они помогут вам лучше понять поведение ребенка, покажут, как развиваются его моторные навыки, как он воспринимает окружающий мир, как быстро познает его.

Но больше всего вы удивитесь, когда поймете, какой он уже умный. Может показаться, что значительную часть времени малыш ничего не делает, а между тем он впитывает все происходящее и постоянно учится. И исподволь накапливает гораздо больше знаний, чем вы подозреваете.

Итак, цель экспериментов в первый год — показать вам все те невероятные навыки, которыми овладел ваш малыш, не умеющий пока даже говорить.

Веселые мелодии

*3-й триместр беременности:
проверяем память малыша*

Думаете, чтобы ставить на ребенке эксперименты, нужно ждать, пока он *родится*? Не угадали. Первая возможность сделать это появляется задолго до его рождения.

Цель — понять, как работает память вашей обожаемой крошки, и поскорее начать укреплять семейные узы. Зачем ждать, когда он вырастет?

ЧТО ВАМ НУЖНО

1. Круглый живот с ребенком внутри.

2. Ваша любимая песня или детская книга.

3. Полное безразличие к незнакомым людям, которые смотрят на вас как на сумасшедшую.

КАК ЭТО РАБОТАЕТ

В течение последнего триместра беременности громко читайте детскую книгу или пойте песню своему растущему животику. Делайте это каждый день или по настроению всё время до рождения ребенка.

Когда ребенок появится на свет, выберите время, распеленайте его, положите на ровную поверхность и почитайте ту же книгу или спойте песню.

Посмотрите, что будет делать ребенок.

Итак, скоро у вас родится малыш. Поздравляем! Через пятнадцать лет он, вероятно, не захочет слышать ни единого вашего слова. Но пока маленький ангел в плену маминого живота, у вас есть аудитория. И неважно, что вы говорите и насколько фальшиво поете. Вашему ребенку пока не остается ничего другого, как слушать вас. Слушать и запоминать — и именно этим он и занимается.

Это правда! К третьему триместру слух ребенка развит достаточно, чтобы слышать звуки, источник которых находится за пределами живота матери. Но, как выяснили исследователи, проводя эксперименты, аналогичные описанному здесь, дети не просто *слушают*: они *помнят* то, что слышали. В ходе этих экспериментов беременных участниц просили читать своим малышам одну и ту же историю ежедневно на протяжении последних шести недель беременности. После рождения матери читали им или ту же историю, или незнакомую. И дети реагировали по-разному!

Если у вас есть песня, которую вы собираетесь петь ребенку, или особая история, которую вам не терпится ему рассказать, — не ждите момента рождения, начинайте сейчас. Момент должен быть спокойным, голос — громким и четким, повторения — многократными. Чтение книги невидимому ребенку или пение детских песен со стороны может выглядеть немного чудно (особенно если вы вспоминаете об этом в супермаркете или в отделении полиции), но ребенок *будет* слушать и запомнит услышанное. Удивительное чувство — знать, что можно создать общий опыт, связывающий родителя и ребенка, еще до его появления на свет, всего лишь разговаривая с ним.

Вам может показаться, что ребенок реагирует на выбранную вами песню или историю еще в животе: становится более активным, начинает толкаться и перекатываться. Позже, после его рождения, вы сможете *увидеть* ту же реакцию, стоит вам запеть эту песню снова. Он двигается быстрее? Сильнее машет ручками и ножками? Начинает быстрее сосать пустышку? Наоборот, замирает, чтобы послушать?

В нашем случае реакция дочери была очень ярко выраженной еще до ее рождения. Когда мы ждали нашего первого ребенка, Энди часто пел песню про паровозик (Mrs. Train) группы They Might Be Giants*, и мы видели, как живот Эмбер ходил ходуном под звуки музыки. Когда срок родов пришел, но они всё не начинались, мы довольно часто ездили к своему врачу, который наблюдал за состоянием малышки. Во время этих визитов в числе прочего фиксировалось ее сердцебиение, и мы всякий раз сидели по пятнадцать минут в тишине, пока

---

* Американская группа, играющая в жанре альтернативного рока. Образовалась в 1982 г. *Прим. ред.*

аппарат выписывал свои зазубренные пики на бесконечной бумажной ленте.

Как-то во время ожидания мы решили развлечься, и Энди запел уже знакомую ребенку песенку. Сразу после этого аппарат зафиксировал скачок пульса со стабильных 130–140 до 165 ударов в минуту. Ровный график на бумаге превратился в череду резких пиков и провалов. Мы перепугались. Энди умолк. Казалось, мы сделали что-то плохое и нас ждут неприятности. Когда в комнату вошла врач, чтобы ознакомиться с результатами теста, мы затаили дыхание. Но она заявила, что сердцебиение у дочери отличное, «особенно в этой части»: она указала на резкие скачки, которые вызвал Энди своей песенкой. Врач объяснила, что ей нравится видеть изменения в пульсе ребенка: это говорит о том, что в такие моменты малыш активен. Когда врач вышла, Энди запел снова, и дочка тут же пустилась в пляс (по крайней мере, нам так показалось, судя по ее ускорившемуся пульсу и толчкам, которые чувствовала Эмбер).

Позже, когда девочке было примерно две недели, мы как-то положили ее на диван, и Энди запел всё ту же мелодию. Кроха немедленно пришла в восторг и начала бурно размахивать ручонками. Так мы своими глазами увидели то, как она, должно быть, реагировала на песню в утробе.

Большинство из нас не считает малышей «настоящими» людьми. Нас интересуют их пол и выбор имени, но мы не думаем, что они полноценные человеческие существа, уже способные воспринимать окружающий мир. Еще в утробе матери они активно используют органы чувств и тренируются в том, что придется делать после рождения. Они пьют, писают, икают и плачут, а еще слушают доносящиеся до них звуки.

К 24-й неделе слуховая система ребенка развита настолько хорошо, что он начинает различать звуки снаружи. Слышит шум проехавшего мимо автомобиля, вашу любимую музыкальную пьесу из радиоприемника, ваше похрапывание ночью, ваши разговоры днем. Вот почему вам удается успокоить ребенка быстрее остальных: он узнал звук вашего голоса до рождения! А еще он способен различать звуки родного языка. Ребенок, который еще в утробе слышал речь на определенном языке, потом предпочитает его любому другому. В этом смысле полученный так рано опыт определяет скорость изучения языка.

Как помочь ребенку

Если вы истинный любитель музыки, то наверняка уже планируете познакомить своего ребенка с классикой: творчеством Моцарта, Beatles или New Kids on the Block. Но для его развития, оказывается, важно не то, *какую* музыку вы выберете, а то, *как* она будет звучать.

Подход может быть или пассивным (вы ставите любимые мелодии, под которые играете, читаете, едите или занимаетесь еще чем-то), или активным (вы взаимодействуете друг с другом и с музыкой: поете, танцуете, играете на музыкальных инструментах, отбиваете такт). Гораздо больше пользы детям приносит второй подход.

Исследователи, изучавшие влияние музыки на 2–6-месячных младенцев, выяснили: те из них, кто сталкивался с регулярными *активными* музыкальными занятиями — вроде уроков музыки на дому, — получили от этого большую пользу. Они не только лучше различали различные тоны, но и, как правило, начинали жестикулировать раньше и разнообразнее, а ведь жесты — важное невербальное средство коммуникации. Вдобавок активное музыкальное взаимодействие благотворно влияет на отношения между родителями и детьми. В конце концов, разве можно *не* стать лучшими друзьями после целого дня, проведенного вместе за пением, танцами и играми?

Как помочь себе

Переживаете, что через несколько месяцев ребенок окажется слишком привередлив в еде? Уменьшить вероятность этого можно сейчас. В утробе дети используют и другие органы чувств: к примеру, они способны различать вкус. То, что употребляет в пищу мать, отражается на вкусе амниотической жидкости. А поскольку не родившийся еще ребенок частенько глотает ее, он получает хорошее представление о том, чем питается мама.

Исследователи обнаружили это в ходе эксперимента, в котором беременных женщин разделили на две группы: одни ежедневно на протяжении всего третьего триместра пили морковный сок, другие — только воду. Результаты показали, что дети женщин, пивших морковный сок, как правило, с большим удовольствием пили его после начала прикорма.

Вот почему пища, которую вы употребляете во время беременности, помогает задать будущие предпочтения вашего ребенка. (Поскольку состав диеты влияет и на вкус материнского молока, то же справедливо и в отношении периода грудного вскармливания.) Если хотите, чтобы ваш ребенок в полгода ел овощи, сами ешьте их прямо сейчас. А если размышляете над тем, будете ли кормить его грудью, когда он появится на свет, имейте в виду, что в целом дети на естественном вскармливании легче принимают новую пищу, чем их сверстники, которых кормят смесями: им знаком вкус большего количества продуктов. В рацион матери входит многое из того, что дети будут есть позже сами, а молочная смесь стабильна по составу и не способна познакомить малышей со вкусом настоящей пищи.

По секрету всему свету: у наших детей врожденное пристрастие к шоколаду. И нас это не удивляет.

Поскольку пища, которую вы употребляете в период беременности и грудного вскармливания, так сильно влияет на ребенка, очень важно на этих стадиях придерживаться как можно более полезной диеты. Это не только полезно для здоровья — и вашего, и малыша, — но и поможет ему сильнее полюбить эти продукты в будущем. Никогда не рано создать здоровые привычки!

Лицом к лицу

0–3 недели:
проверяем способность к обучению,
социальное развитие

Ага! Ребенок родился! И вы уже открыли для себя множество замечательных следствий этого: недосыпание, терпимость к своей испачканной одежде и, конечно же, огромное количество гостей, желающих увидеть малыша.

И что делают все эти доброхоты, добившись своего? Они наклоняются к новому члену семьи, лежащему в кроватке, и лица их принимают самое глупое выражение, какое только можно представить.

Наш эксперимент покажет, как превратить эти нелепые сцены, главными героями которых в свой час становятся все младенцы планеты, в полезный и вам, и вашему ребенку опыт.

ЧТО ВАМ НУЖНО

1. Бодрствующий, активный, сытый, спокойный, довольный, не плачущий, не только что переставший плакать, не собирающийся вот-вот заплакать ребенок (возможно, вы слышали легенды о таких редких существах).

2. Способность контролировать свое лицо.

КАК ЭТО РАБОТАЕТ

Расположитесь напротив ребенка так, чтобы он как можно лучше видел ваше лицо. Он должен смотреть прямо на вас, с близкого расстояния, при хорошем освещении. (Учтите: у него пока не очень острое зрение.)

Медленно покажите кончик языка, втяните его обратно. Повторяйте снова и снова примерно двадцать секунд. Если вы не можете переступить свое убеждение, что показывать язык — неподобающее занятие для достойного члена общества, можно просто открывать и закрывать рот.

Следующие двадцать секунд смотрите на своего ребенка, ничего не делая языком или ртом.

Повторяйте шаги 2 и 3 до тех пор, пока это доставляет радость вам и малышу.

Если все пойдет по плану, вы, вероятно, заметите: когда вы высовываете язык или открываете рот, ваш ребенок делает то же самое. Забавно, да? Этот ворчащий, сонный, мягкий живой комочек, едва вылупившийся из своего уютного кокона, на самом деле уже готов к своей первой игре в «Саймон говорит»*.

Ваш новорожденный малыш появляется на свет с хорошо развитыми органами чувств, которые он тренировал, будучи в утробе. И теперь способен расшифровывать все сигналы, которые поступают из яркого, шумного, суетливого мира, окружающего его. И вы, родители, — важная и заметная часть этого мира. Вот почему ребенок смотрит на вас, когда вы ходите по комнате; поворачивается на ваш голос; реагирует на ваш запах и прикосновения, а также задействует свои вкусовые рецепторы всякий раз, когда представляется такая возможность. Наблюдение за вами — один из самых первых навыков, которым обучается новорожденный. А повторение — как показывает этот эксперимент — один из самых простых способов показать, чему он научился.

Эту полезнейшую способность наблюдать за вами и копировать вас ребенок будет применять постоянно и освоит множество навыков — от сравнительно простых, вроде высовывания языка, до гораздо более сложных и полезных, вроде самостоятельного держания ложки и рассказывания смешных историй за ужином.

Его способность копировать действия развивается очень быстро, и к полутора месяцам он уже *запоминает* и *повторяет* выражение лица. Используя только что описанную процедуру, исследователи выяснили, что полуторамесячные дети повторяют выражение чужого лица не только в момент, когда

---

* Популярная в англоязычных странах игра, в ходе которой участники должны выполнять распоряжения ведущего, если он предваряет их фразой «Саймон говорит...», например: «Саймон говорит: подпрыгни». *Прим. перев.*

видят его, но и в течение следующих суток. Проведите эксперимент снова через несколько недель — и станете свидетелем не только потрясающих способностей к обучению, но и еще более впечатляющих способностей запоминать то, чему малыш научился раньше.

В чем мораль? Не стоит недооценивать своего ребенка. Легко решить, что он слишком мал, чтобы понимать то, что вы делаете и говорите. Однако он запоминает гораздо больше, чем вы думаете. Ребенок с рождения готов учиться. Так что и вы готовьтесь учить!

Как помочь ребенку

Подражая, дети усваивают множество навыков, в том числе отношение к другим. Вот почему очень важно, чтобы ваши отношения стали для него положительным примером.

Не секрет, что появление ребенка подвергает брак сильному испытанию. У вас становится гораздо больше дел, вы меньше спите и всё время вынуждены полагаться друг на друга. В подобных ситуациях вероятны конфликты. Но сейчас уметь эффективно гасить их важно как никогда. Отчасти из-за врожденного таланта к подражанию малыш, наблюдающий больше семейных ссор, как правило, становится более агрессивным, у него чаще возникают проблемы с концентрацией внимания и управлением эмоциями, выше уровень депрессии и тревоги, хуже здоровье, ниже оценки в школе и уровень интеллекта.

Когда дети растут в условиях частых семейных конфликтов, это негативно сказывается на них уже к полугоду, как в психологическом плане (они выглядят подавленными или чаще плачут), так и в физиологическом (изменение пульса, кровяного давления и выработка гормонов стресса).

Вот несколько советов для поддержания позитивных, крепких отношений в семье.

Относитесь друг к другу по-доброму. Когда люди добры к тем, кто рядом с ними, и стараются делать для них приятное, это помогает сохранять хорошие отношения в семье. Мелочи очень важны. И помните: относиться друг к другу по-хорошему нужно даже во время ссоры. Думайте, прежде чем что-то сказать, и не говорите ничего, что могло бы оставить шрам в душе партнера.

Притворяйтесь — и поверите сами. Исследования подтверждают: чем больше вы улыбаетесь, тем более счастливым себя чувствуете. Это же применимо и к отношениям в семье. Попробуйте сознательно вести себя друг с другом по-дружески — и начнете чувствовать более дружеское отношение друг к другу.

Выступайте единым фронтом. Ваша позиция по отношению к ребенку должна быть единой. По возможности все решения принимают оба родителя единогласно. Если папа сказал «никакого телевизора», то же должна сказать мама. И наоборот.

Считайте друг друга боевыми товарищами. Посмотрим правде в глаза: вы оба по одну сторону баррикад, и ваше выживание зависит от поддержки другого. Относитесь друг к другу с уважением.

Конечно, конфликты неизбежны. Но исследования показывают: если ребенок видит ссору, очень важно, чтобы он видел и ее *разрешение.* Даже если вы помирились за закрытыми дверями, неплохо повторить примирение на глазах у детей.

Если только речь не идет о примиряющем сексе, конечно.

Как помочь себе

У вашего ребенка есть врожденная потребность подражать вам. Это прекрасно. Вы делаете что-то — он повторяет. Вы делаете что-то глупое — он *все равно* повторяет, ведь пока не знает ничего лучше. И высовывание языка — только начало. Не успеете оглянуться, как ваш нежный отпрыск начнет копировать вас полностью: будет строить такие же рожи, издавать неприличные звуки, имитировать вашу отрыжку, бросаться «взрослыми» словечками, фразами и текстами песен ваших любимых гангста-рэперов. Всё, что вы сделаете, сделает и ваш ребенок!

Воодушевляет, правда?

ЭКСПЕРИМЕНТ № 3

Маленький шаг для ребенка

0–3 месяца:
проверяем моторные навыки

Жеребенок начинает ходить через час после рождения. Ново-рожденная акула уплывает от матери сразу после появления на свет. К счастью, природа одарила нас гораздо большим запасом времени для подготовки к радостному пугающему моменту, когда ваш ребенок впервые сможет передвигаться самостоятельно. Но хотя ему для этого понадобится год или около того, вы удивитесь, когда узнаете, что инстинкт ходьбы заложен в нем с рождения.

Этот эксперимент позволит вам *увидеть* этот инстинкт в действии, причем гораздо раньше, чем вы могли это предположить.

ЧТО ВАМ НУЖНО

1. Плоская твердая поверхность.

2. Сила тяжести.

КАК ЭТО РАБОТАЕТ

Возьмите своего малыша под мышки и поднимите его в вертикальное положение.

Приблизьте его к твердой горизонтальной поверхности вроде стола или пола так, чтобы его ступни легко касались ее.

Медленно перемещайте его вперед, внимательно следя за движениями его ног.

Видели? Видели, что он только что делал? Он едва родился, пройдут месяцы, пока он надумает сделать первый шаг, и все же он уже перебирает ногами по поверхности! Поразительно, правда же?!

Эти движения называются «автоматической походкой новорожденных» и относятся к многочисленным рефлексам, которые есть у малыша от рождения. Кроме того, он еще обладает рефлексом сосания, рефлекторно хватает предметы, разжимает пальцы ног, когда касаются нижней части его ступни, поворачивает головку и открывает рот после прикосновения к его щеке (это еще называют поисковым рефлексом) и переводит взгляд в сторону источника громкого шума.

В автоматической походке новорожденных интересно то, что, хотя этот рефлекс присущ младенцу с рождения, примерно к трем месяцам он *исчезает* и снова проявляется примерно в год, но уже как часть комплекса движений, которые малыш делает, начиная ходить по-настоящему. А почему он исчезает? Ребенок забывает, как переставлять ножки? Нет. Просто он быстро набирает вес, но мышцы еще не могут его выдерживать. Если вы повторите эксперимент в этом возрасте, но на сей раз поставив ребенка на движущуюся беговую дорожку или погрузив его в воду (создав ситуацию, когда на его ножки действует меньшая сила тяжести), то увидите, что никуда рефлекс ходьбы не делся.

Так что в следующий раз, собравшись со своим полугодовалым малышом в тренажерный зал или бассейн, потратьте минуту на то, чтобы снова увидеть, как он ходит.

Как помочь ребенку

Родители покупают малышу уйму всяких приспособлений в надежде, что это поможет ему в развитии. Одна из таких штуковин — ходунки. Ну, знаете, такое глубокое сиденье на колесах, в котором ребенок может дефилировать по дому, едва переставляя ножки и натыкаясь на различные препятствия огромными защитными бамперами. Ходунки — это здорово. По нескольким причинам. В них можно засунуть ребенка, чтобы получить возможность принять душ. Они не позволяют малышу опустошить ваши кухонные шкафы, поскольку выдающиеся части надежно блокируют дверцы шкафов, когда малыш до них добирается. Но есть у ходунков и один недостаток: они не учат ходить. Исследования показывают, что дети, которые проводят много времени в них, начинают ходить самостоятельно позже ровесников, не привязанных к ним.

Чтобы помочь ребенку научиться ходить (и развить множество других полезных моторных навыков), нужно каждый день давать ему время на то, что мы называем «детской работой». Предоставлять его самому себе: пусть валяется на коврике, играет в игрушки, ползает по всему дому и исследует мир *без родителей*. Для нормального развития ребенка важно не только проводить много времени с ним, разговаривая и играя вместе, но и давать ему заниматься самостоятельно. Дети мотивированы к изучению окружающей среды и в процессе учатся сами — даже такому, чему учить их сознательно нам бы никогда не пришло в голову. Так что примите меры предосторожности и наблюдайте!

Как помочь себе

Ваш ребенок уже знает, как делать псевдошаги, но некоторое время обеспечивать его перемещение придется вам — а это серьезная нагрузка. Чтобы разгрузить спину, рекомендуем закреплять малыша на себе при помощи детской переноски — слинга или «кенгуру».

Лично мы видим множество преимуществ в ношении ребенка в таких приспособлениях. Малыш в них лучше себя чувствует (исследования показывают, что дети, которые находятся в слинге или «кенгуру» пару часов в день, плачут меньше остальных). Это позволяет нам заниматься домашними делами, ходить в магазин, водить старших детей на развивающие занятия. И даже обеспечивает дополнительные возможности обучения. Когда ребенок так близко к вашим глазам и так хорошо вас слышит, ему легко показывать разные интересные штуки — а это позволяет ему учить новые слова!

Лицо-омлет

0–4 месяца:
проверяем социальные навыки

Глядя на недавно родившегося ребенка, очень трудно понять его мысли. Он улыбается мне? Стене? Просто так? Или потому, что собирается надуть в подгузник?

Этот эксперимент показывает: хотя новорожденному кажется новым и достойным восхищения абсолютно всё, на что он смотрит в данный момент, инстинктивно некоторые вещи кажутся ему интереснее других.

ЧТО ВАМ НУЖНО

1. Рисунок нормального лица.

2. Рисунок лица, похожего на омлет, все элементы которого перемешаны. (Оба есть в этой книге, что очень удобно. И не говорите, что мы ничего для вас не сделали.)

КАК ЭТО РАБОТАЕТ

Разместите своего любопытного малыша в кресле или в каком-то другом удобном месте.

Откройте эту книгу на развороте с двумя лицами и держите ее прямо перед ребенком.

Следите за его глазами и обратите внимание, на какой странице — с нормальным лицом или лицом-омлетом — он задержит взгляд дольше.

Велик шанс, что на нормальное лицо ребенок будет смотреть дольше, чем на то, у которого всё не на месте. (И если он похож на нашего сына, то даже одарит его широкой сияющей улыбкой.)

Но почему это так? С визуальной точки зрения рисунки представляют одинаковый интерес. Они одного размера и цвета, содержат одни и те же элементы, которые расположены красиво и симметрично. И если ребенок предпочитает смотреть на рисунок нормального лица, это говорит о заложенном в его мозге «на аппаратном уровне» представлении о том, что *человеческое лицо — нечто особенное*.

Так и есть. Люди — социальные животные, и взаимодействие с другими очень важно. И хотя при помощи хохочущего или дерзко подмигивающего смайлика можно передать очень многое, общение лицом к лицу остается одним из самых эффективных способов коммуникации.

Вы — человек, который обеспечивает ребенку питание, меняет пеленки, обнимает и желает спокойной ночи. Поэтому ваше лицо особенно важно для него — и он это знает. Примерно с четвертого дня после рождения малыш способен узнать ваше лицо и отличить его от лиц других людей.

Столь быстрое запоминание и способность узнавать лица особенно поразительны, когда знаешь, что у новорожденных действительно очень слабое зрение. Хотя большая часть зрительной системы ребенка развивается еще в утробе матери, у него нет возможности испытать ее до момента рождения. (В конце концов, там же темно!)

Новорожденный так плохо видит, что способен различить только близко расположенные к его глазам объекты, при этом очень контрастных цветов.

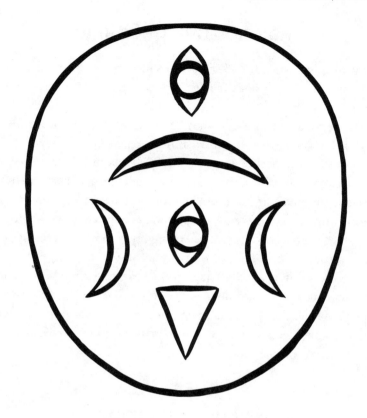

Поэтому, даже если вы полгода выбирали идеальные обои для детской комнаты с узором из артишоков и спаржи (это, естественно, относится только к *первому* ребенку, потому что у вас точно не будет столько сил к моменту появления второго), имейте в виду: мелкие детали интерьера поначалу будут ускользать от внимания малыша. Если же вы хотите дать то, на что ему действительно будет интересно смотреть, попробуйте разместить крупные черно-белые рисунки на кроватке и пеленальном столике.

Как помочь ребенку

Хотя поначалу черно-белые рисунки ребенку разглядеть легче всего, важно обеспечить ему самые разные зрительные впечатления.

Исследования показывают, что дети, которым в раннем детстве доступно не так много линий и различных фигур, чтобы смотреть на них целый день, в дальнейшем хуже воспринимают новые формы и линии. Ваш малыш, конечно же, тратит много времени на разглядывание горизонтальных и вертикальных линий, образующих стены, двери и окна вашего дома, но постарайтесь почаще выходить с ним наружу, чтобы он мог изучить всё многообразие форм, сотворенных матерью-природой.

Чтение книг и игра в «ладушки», разглядывание интересных деревьев и пролетающих вдали самолетов, даже простое переворачивание малыша вверх ногами, чтобы показать ему мир под совершенно новым углом, стимулируют более быстрое развитие его визуальных навыков.

Как помочь себе

В следующий раз, когда ваш малыш без видимой причины выйдет из себя и никакие привычные средства вроде кормления, сна и смены подгузника не помогут остановить его плач, попробуйте раскрыть перед ним какую-нибудь книгу с фотографиями детских лиц.

Этих многочисленных вариантов сочетания глаз, носов и ртов (которое, как вы поняли, гипнотизирует его с рождения) может оказаться достаточно для того, чтобы и сам ребенок, и вы могли немного отдохнуть от рева.

Ловкость ног

2–5 месяцев: проверяем моторные навыки

Вы хотите дать детям все самое лучшее. Желаете, чтобы они достигли в жизни всего, чего захотят, крепко стояли на ногах и при этом тянулись к звездам.

Но как покажет нам следующий эксперимент, сначала встать, а потом дотянуться — не единственная возможная последовательность.

ЧТО ВАМ НУЖНО

1. Игрушка, которую очень захочет заполучить ваш ребенок, например огромная погремушка, увешанная множеством фигур различных цветов и форм.

2. Примерно один квадратный метр свободного пространства (крепитесь, хозяева малогабаритных квартирок).

КАК ЭТО РАБОТАЕТ

Положите ребенка на слегка наклонную или плоскую поверхность так, чтобы он мог свободно двигать руками и ногами.

Держите игрушку над ним так, чтобы он мог дотянуться до нее ногой. Посчитайте, за сколько секунд он это сделает.

Теперь переместите игрушку к груди ребенка, чтобы он мог взять ее руками. Посчитайте, сколько секунд ему на это потребуется.

Что видите? Как ваш малыш работает ногами, а?

Если он похож на большинство детей его возраста, то наверняка быстрее достанет игрушку ногой, чем рукой. Может и вовсе пока рукой не достать.

Каким бы странным ни казалось это взрослым, дети добиваются гораздо больших успехов, указывая на предметы, дотягиваясь до них и касаясь их именно ногами, а не руками. Почему? Им так *легче*.

Руки так полезны для нас во многом из-за широкого диапазона движений, которые они позволяют совершать. Вы можете поворачивать плечи, сгибать руки в локтях, вращать предплечьями и складывать пальцы в различные комбинации, добираясь практически до чего угодно (за исключением, естественно, того места в середине спины, которое, как назло, всегда чешется).

А у ребенка настолько же гибкие нижние конечности. Именно поэтому долгое время малыши полагаются именно на них. С ними при всем желании не смогут сравниться ваши ноги — если вы, конечно, не выступаете в цирке с номером «человек-змея». Мы можем двигать ногами вперед-назад и немного в стороны, вот и всё.

Как помочь ребенку

Хотя сейчас ваш малыш предпочитает работать ногами, он быстро учится дотягиваться до предметов руками. Довольно скоро он овладеет ими как настоящий профи. После чего будет хватать абсолютно всё, что вы оставите в пределах досягаемости. Очень быстро. И без предупреждения.

А потом, скорее всего, тащить это в рот.

Так что самое время начать делать безопасной для ребенка ту полную смертельных ловушек среду, которую вы называете домом.

Когда мы были еще совсем неопытными родителями, Энди собрался приготовить поесть и подумал, что неплохо бы разместить дочь где-то поблизости, чтобы она могла наблюдать за ним. Он отлично всё устроил, и они радостно болтали, пока он занимался делом. Но когда Эмбер заглянула в комнату и увидела их, то пришла в ужас: Энди посадил Сэмми в ее детском стульчике прямо на кухонный стол, причем с одной стороны от нее оказался набор ножей, а с другой — электрическая розетка.

Серьезно. Это чистая правда.

Опасности подстерегают детей повсюду, и их легко проглядеть, если вы не задумываетесь о них (или если вы типичные родители, которые обучаются всему на ходу и хронически недосыпают). Поэтому постарайтесь убедиться, что пространство, доступное ребенку, достаточно безопасно с учетом его постоянно растущих возможностей.

Степень готовности вашего дома нужно соотносить с тем, насколько активен ребенок, как тщательно вы собираетесь контролировать его действия; а также со специфическими особенностями вашего дома и с вашим личным уровнем паранойи. Приведем короткий список мер, которые помогут защитить ребенка, но вы можете сделать еще много чего. Например, на всякий случай обезопасить и дома, в которых бываете с малышом.

- Используйте специальные защитные крышки для розеток.
- Размещайте опасные вещества вроде чистящих средств, пестицидов и т. д. в небольшом количестве мест и ограничьте доступ к ним детей, например, при помощи щеколды.
- Установите воротца, которые не дадут ребенку попасть на лестницу и в другие небезопасные зоны дома.
- Учите ребенка тому, каких опасностей следует избегать. Возможно, вам кажется, что глупо объяснять только начавшему ползать малышу, чтобы он не трогал кухонную плиту. Но дети понимают больше, чем вы думаете, и эта информация скоро поможет уберечься от серьезных неприятностей.
- Посмотрите в книгах и на специализированных сайтах, что еще можно сделать в этом направлении.

Как помочь себе

Сделали дом безопасным для ребенка? Отлично. Теперь обезопасьте свое лицо.

Любопытные и всё более сильные пальчики вашего малыша рано или поздно *обязательно* заберутся вам в уши, глаза и нос. Так что потренируйтесь быстро отклонять голову и прикрывать глаза, чтобы их защитить. Можете пересмотреть комедийные фильмы с участием малышей: там много идей о том, как защититься от болезненного защемления особенно чувствительных частей тела. Вот, теперь можно и поиграть с ребенком.

Детская скука

2–8 месяцев:
проверяем навыки обучения

Давно ли вы сами изводили своих родителей бесконечным нытьем: «Мне *ску-у-учно*»? Крепитесь: карма настигнет вас всего через несколько лет.

Но пока — и это покажет наш следующий эксперимент — наблюдение за тем, как скучает ваш малыш, означает не головную боль, а возможность больше узнать о том, что творится в его голове.

ЧТО ВАМ НУЖНО

Две игрушки, которые привлекают внимание ребенка, но не захватывают его целиком.

Удачные примеры: детская бутылочка, яркий кубик или старомодный «школьный» телефон, с которым вам уже стыдно показываться в обществе.

Неудачные примеры: современный смартфон, с которым дети почему-то умеют обращаться, едва родившись, или живой хомяк.

КАК ЭТО РАБОТАЕТ

Возьмите один из выбранных вами предметов и поднесите к ребенку так, чтобы привлечь его внимание. Посчитайте, сколько секунд малыш будет смотреть на него не отрываясь.

Как только он отведет глаза, немедленно привлеките его внимание к той же игрушке. Снова посчитайте, сколько он будет смотреть на нее непрерывно в этот раз.

Повторяйте шаги 1 и 2 до тех пор, пока не заметите, что ребенок перестал проявлять интерес к игрушке дольше чем на 2–3 секунды.

Бросьте первую игрушку и немедленно покажите ему вторую. Посчитайте, сколько секунд он будет смотреть на нее.

Что получается? Если ребенку по-настоящему наскучило смотреть на первую игрушку, а потом он внезапно заинтересовался второй, это говорит кое-что о его мышлении.

В целом малыш смотрит на вещи, как правило, потому, что они ему интересны. Когда вы показали ему первую игрушку, он разглядывал ее некоторое время, получая всю возможную информацию о ней: какой она формы, цвета, твердой кажется или мягкой, как на ней отражается свет, сколько его слюны она может приблизительно впитать и т. д. Но вы продолжали показывать ему ту же игрушку, и *новой* информации оставалось всё меньше, поэтому малыш с каждым разом всё быстрее переводил взгляд на что-то другое. Это называется привыканием. Когда интерес ребенка к первой игрушке угас, это значит, что он к ней «привык». А когда вы показали ему вторую игрушку, ребенок ей заинтересовался, потому что она не была ему привычной и содержала много новой информации. Отсюда и более долгий зрительный контакт.

Процесс привыкания интересен тем, что может показать, какие знания есть у вашего малыша, за много месяцев до того, как он сам сможет что-то об этом сказать.

Например, если вы показываете ребенку рисунки собак — один за другим, — в конце концов он к ним привыкнет и не будет смотреть на очередную собаку дольше пары секунд. Но что произойдет, если ему показать кошку? Ну, если он будет долго разглядывать ее, вы сможете сделать вывод, что он изучает всю доступную ему новую информацию об этом новом существе и что, следовательно, ему понятна разница между собаками и кошками. Если же рисунок кота *не привлечет* его интерес, то вам станет понятно: он не способен пока различить эти два вида. Говорят же, что один рисунок стоит тысячи слов. Так и взгляд вашего ребенка скажет вам больше, чем целая речь.

По скорости привыкания можно судить также о будущих речевых навыках ребенка и уровне его интеллекта. Кто-то может предположить, что, если малыш быстро начинает скучать, ему грозит диагноз «синдром дефицита внимания и гиперактивности» и позднее — замечания учителей, что он «не может сосредоточиться в классе». Но на самом деле быстрое привыкание ассоциируется с *позитивным* прогнозом. Ребенок привыкает к предмету, когда замечает и запоминает все важные его свойства. Способность быстро обучаться говорит о хороших перспективах.

К сожалению, никто не может сказать, за сколько секунд должно возникать привыкание у ребенка, чтобы он считался гением. Просто в среднем дети, которым наскучивает смотреть на предметы быстрее, чем другим, в год понимают больше слов, а позже отличаются более высоким коэффициентом интеллекта.

Как помочь ребенку

Главный урок, который можно вынести из этого эксперимента, таков: детям надоедают одни и те же игрушки. В краткосрочном практическом плане это означает, что малышу не хватит одной игрушки на все время вашего ужина в ресторане. В долгосрочном плане эксперимент показывает, что благодаря разнообразным игрушкам и занятиям у него лучше развиваются мыслительные способности и мозг в целом.

Эксперименты на крысах подтверждают важность стимулирующей среды для интеллектуального развития. Крысы, в клетках которых было много игрушек, оказались умнее (а их мозг — более крупным и лучше развитым), чем их ровесники, в клетках которых игрушек не было совсем. Однако этот эффект сводился на нет, когда крысы были вынуждены постоянно играть с *одними и теми же* игрушками.

Эти же принципы применимы и к развитию мозга ребенка. Детям нужна стимулирующая их интерес среда, полная объектов, которые они могли бы изучать. Одни и те же игрушки и занятия ограничивают количество информации и удовольствия. Поэтому постарайтесь почаще менять игрушки (самый простой способ — обмениваться с другими родителями!), слушать разную музыку, посещать всевозможные выставки и находить новые места для прогулок и игр.

Как помочь себе

В следующий раз, когда ваш малыш решит, что четыре часа утра — самое подходящее время для игры (а ваша дражайшая половина сочтет, что это самое подходящее время для того, чтобы с ним поиграли *вы*), извлеките пользу из этого эксперимента.

Поскольку вы знаете, что ваш маленький ясноглазый сгусток энергии заскучает от всего маячащего перед ним долго, соберите *все* игрушки, которые могут заметить ваши слипающиеся глаза. Лягте на пол, ребенка положите перед собой, а игрушки складируйте по соседству. Предложите ему одну-две игрушки, а когда услышите, как он захныкал на своем языке что-то вроде: «Эй, приятель, мне это начинает надоедать», — возьмите новую игрушку и положите перед ним. Немного потренировавшись и выработав стратегию правильного расположения кучи игрушек, вы можете продремать большую часть времени, которое занимает эта игра. И ваш партнер об этом даже не узнает.

Сумасшедшая мобильность

3–6 месяцев:
проверяем способность
к обучению и память

В силу пока недолгого пребывания вашего ребенка на этой планете он много чего еще не делает. Не ползает, не ходит, не болтает с вами о том, как прошел ваш день. Не ест ничего, кроме жидкой и кашицеобразной пищи, не умеет пользоваться горшком и даже — простите, если это особенно болезненный для вас вопрос — не спит по ночам.

И хотя все эти важные вехи развития ему еще предстоит пройти, знайте, что он активно тренирует базовые навыки, которые в итоге позволят ему овладеть всеми остальными. Причем этот процесс происходит *постоянно*.

Этот эксперимент позволит вам увидеть, как ребенок сам учится новому.

ЧТО ВАМ НУЖНО

1. Мобиль, достаточно легкий для того, чтобы его мог двигать даже совсем маленький ребенок (если у вас нет мобиля, инструкция о том, как его сделать, приведена ниже).

2. Тканевая ленточка или тесьма.

3. Клейкая лента.

4. Таймер или секундомер.

5. Ручка и бумага.

КАК ЭТО РАБОТАЕТ

Часть 1

Повесьте мобиль над кроваткой, манежем или другим местом, где ребенок мог бы некоторое время полежать на спине.

Привяжите один конец ленточки к мобилю, убедившись, что он не соскочит, а второй пусть свободно свисает в кроватку. Ленточка должна быть достаточно длинной для того, чтобы на дне кроватки лежал ее конец сантиметров 10–12 в длину.

Положите ребенка под мобилем так, чтобы малыш мог хорошо его видеть.

Установите таймер на 1 минуту и посчитайте, сколько раз малыш дернет ножкой, глядя на мобиль. Запишите это число.

Аккуратно обвяжите один конец ленточки вокруг лодыжки ребенка. Нужно, чтобы мобиль двигался всякий раз, когда он дернет ногой, и оставался неподвижным, когда неподвижен ребенок.

Пусть малыш остается привязанным к мобилю минут десять.

По прошествии этого времени снова установите таймер на минуту и посчитайте, сколько раз ребенок дернет ножкой. Запишите это число.

Снимите мобиль и уберите куда-нибудь до завтра.

Ваш ребенок только что кое-чему научился. Видели?

Когда вы просто положили его под мобилем, он увидел эту классную штуку и немного подергал ногами. Тут нет ничего необычного. Но когда вы привязали ленточку к его ноге, что-то изменилось. Малыш заметил, что всякий раз, дергая ногой, он заставляет *мобиль* вращаться!

Для ребенка, который пока не может контролировать ничего, что с ним происходит в жизни, это очень волнующий момент. Возможно, вы даже заметили на его лице отражение совершенного им открытия: его глаза расширились, он стал наблюдать за мобилем более внимательно. А еще начал сильнее, быстрее и чаще дергать ножками.

Даже если тогда вы этого не заметили, сейчас наверняка выясните, что так и было. Просто сравните два числа, записанных в ходе эксперимента. Высока вероятность того, что второе окажется гораздо больше первого.

Классно, правда?

Ваш ребенок научился что-то контролировать. И ему это понравилось. А теперь посмотрим, насколько хорошо он запомнил то, чему научился.

Часть 2

Повесьте мобиль туда же, что и вчера.

Положите ребенка в то же положение, как вчера, но не привязывайте ленточку к его ножке.

Посчитайте, сколько раз в течение минуты он дернет ногой.

Итак, с момента, когда ваш малыш научился двигать мобиль, дергая ногой, прошел целый день. И сегодня вы даже не привязали к нему ленточку. И что же вы видите?

Если число раз, когда он дернет ногой, превышает *первое*, записанное вами вчера, это значит, что он не только учится новому, но и *запоминает* то, чему научился.

Может показаться, что ваш ребенок не так уж занят в это время (кроме того, что громко выражает свое неудовольствие всякий раз, когда вы соберетесь прилечь), но на деле он уже способен к обучению и запоминанию новой информации. Если ежедневно повторять вторую часть эксперимента в следующие несколько дней, число раз, когда он дернет ногой, останется высоким, показывая, как много он помнит.

Что может *уменьшить* число движений ногами? Изменение обстановки.

Из аналогичных исследований известно: если изменить обстановку, или *контекст*, в котором ребенок чему-то учится, это может отрицательно сказаться на его способности запоминать. Поэтому, если повторить «день 2», но в этот раз с мобиля будут свешиваться другие предметы или на кроватке появится яркое покрывало, которого в ней раньше не было, количество движений малыша, скорее всего, уменьшится.

Процесс обучения представляется нам прямолинейным: вы какое-то время что-то учите и в итоге выучиваете. Но на нашу способность использовать новую информацию влияет контекст, в котором мы ее изучали. Даже мелочи могут сыграть свою роль.

Это верно и для взрослых.

Например, ученые исследовали способности студентов колледжа запоминать полученную информацию. Все молодые люди изучали материалы в одной и той же аудитории. А на этапе тестирования их разделили: одна половина осталась там же, вторая проходила испытание в другом помещении. Оказалось, что контекст действительно важен: студенты, изучавшие материал и сдававшие тесты в одной и той же аудитории, показали гораздо лучшие результаты.

Как помочь ребенку

Похоже, дети особенно чувствительны к небольшим изменениям контекста. Вы сами убедились в ходе эксперимента: они по-разному запоминают то, чему научились, если мобиль или кроватка выглядят иначе. Другие исследования показывают, что дошкольники, которые учили названия предметов, расположенных на столе со скатертью с одним рисунком (скажем, синей с белыми рыбками), с бо́льшим трудом вспоминали их, когда те же предметы размещали на скатерти с другим рисунком (например, красной с желтыми квадратами). Странно, на первый взгляд: казалось бы, скатерть не имеет никакого отношения к запоминанию того, как называется предмет.

Вы можете помочь ребенку преодолеть трудность запоминания в разном контексте, показывая ему одни и те же предметы в разных условиях. Те дошкольники, которые не могли вспомнить названия предметов после смены скатерти, показывали гораздо лучшие результаты, если и во время обучения предметы располагали на разных скатертях, а не на одной и той же.

Если рассказывать ребенку о чем-то в разных ситуациях, это ослабит зависимость от контекста и улучшит запоминание. Познакомьте его со словом «вилка» не только в кухне, но и в других местах: ресторане, магазине, детской книге. А если окажетесь в деревне во время уборки сена, то покажите ему еще и вилы. Так он запомнит это слово быстрее (ну, и сено поможет убрать).

Не забывайте о важности контекста, общаясь с ребенком и в будущем. Если решать с ним простые задачки на устный счет во время ожидания блюда в ресторане или в очереди в супермаркете, а не ограничиваться помощью в выполнении домашних заданий по математике в привычное время и в знакомом месте, это может улучшить его математические способности!

Как помочь себе

Именно способностью малыша учиться и запоминать объясняется то, почему большинство детей знают свое имя уже в пятимесячном возрасте. А в шесть-семь месяцев начинают понимать, что «мама» и «папа» относится к вам.

Не хотите ждать так долго?

Ну, если вы из тех родителей, которым не терпится услышать, как слова «мама» или «папа» слетают с губ вашего ребенка, или вы очень хотите, чтобы ваше имя он произнес раньше, чем имя вашего партнера, мало приближать свое огромное лицо к его личику и повторять, как попугай: «Скажи "мама"! Скажи "мама"!»

Преподавайте ему этот урок в разных контекстах!

«Да, малыш, это *мама* тебя кормит». «Привет, кроха! Это *мама* машет тебе из дальнего угла комнаты!» «Что ты видишь на каждой странице твоей любимой книжки с картинками, сладкий? Это фотографии *мамы* десять на пятнадцать, снова и снова, да? «Конечно, играй с моим телефоном, милая! Только посмотри этот ролик, в котором *мама* раз за разом повторяет слово *"мама"*!»

Проявите настойчивость — и у *папы* не останется никаких шансов.

ДЕЛАЕМ ПРОСТОЙ МОБИЛЬ

Если вы мастер на все руки вроде Марты Стюарт*, ваш мобиль наверняка будет выглядеть *отлично*. Можем себе представить: со вкусом подобранная цветовая гамма, бантики, которые можно купить (за немаленькую цену) в магазине изысканных поздравительных открыток, идеально сбалансированная поперечина, с которой свисают изящные рисунки страусов и гиппопотамов, резвящихся среди рододендронов...

Если же вы похожи на большинство родителей, ваш мобиль будет выглядеть *странно*. Поверьте: мы делали его, знаем.

Сколько бы вы ни потратили времени, пытаясь уравновесить карандаши, чтобы они висели ровно, — они будут болтаться криво. Как бы аккуратно ни прилаживали ленточки, выйдет неровно. Ваш мобиль никогда не попадет на обложку

---

* Марта Стюарт (род. 1941) — американская бизнес-леди, писательница и телеведущая. Прославилась благодаря своим советам по домоводству. *Прим. ред.*

журнала «Прекрасные образцы творчества родителей». Но это и не нужно. Если мобиль привлекает внимание ребенка и он может его двигать, свои задачи в ходе эксперимента он выполнит!

Законченный мобиль должен выглядеть как-то так.

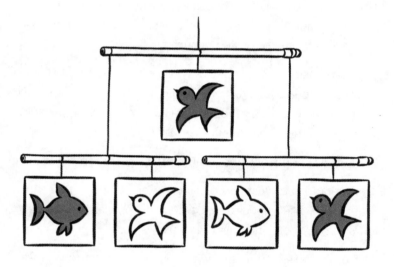

Материалы

- 3 незаточенных карандаша (лучше избегать острых предметов на случай, если мобиль упадет);

- тканевая ленточка;

- клейкая лента;

- кусок картона;

- дырокол;

- ножницы.

Инструкция

Привяжите к одному из карандашей три ленточки: к середине подлиннее, к концам — покороче. На средней ленточке будет висеть сам мобиль, на двух других — оставшиеся карандаши.

Привяжите ленточки на концах карандаша к серединам двух других карандашей. Постарайтесь сделать это так, чтобы карандаши висели как можно ровнее.

Сделайте 5 карточек, которые будут свисать с мобиля. Мы вырезали из картона квадраты, которые наша старшая дочь украсила наклейками. Форма и изображения на них не важны: ребенку визуально интересен мобиль как таковой.

С помощью дырокола проделайте отверстия в карточках.

Прикрепите карточки к мобилю с помощью коротких ленточек. Одну можно привязать к середине верхнего карандаша, остальные — к концам двух нижних.

Обмотайте клейкой лентой места крепления ленточек к карандашам. Вы ведь не хотите, чтобы они смещались, когда ваш ребенок начнет пинать эту штуковину изо всех сил!

Тренировка космонавта

3–12 месяцев: проверяем моторные навыки

С кем веселее — с малышами или нетрезвыми взрослыми? Трудный вопрос, правда?

Благодаря этому эксперименту не придется долго искать ответ. Если соединить неотразимое очарование вашего ребенка с приятным головокружением человека, *уже готового к вечеринке*, получится, наверное, самый забавный научный опыт в вашей жизни.

Ах да. Еще это очень хорошо для вашего малыша.

ЧТО ВАМ НУЖНО

1. Рабочее кресло, которое может вращаться вокруг своей оси.

2. Гигиенический пакет (если вращение вокруг своей оси не совсем ваш конек).

КАК ЭТО РАБОТАЕТ

Сядьте в свое любимое вращающееся кресло, ребенка посадите на колени лицом вперед.

Быстро совершите полный оборот влево и резко остановитесь в исходной точке.

Подождите 30 секунд и еще раз сделайте оборот влево, так же резко остановившись.

Повторите шаги 2–3, только теперь вращая кресло вправо.

Продолжайте с пользой проводить время, повторяя шаги 2–4 с ребенком, лежащим сначала на левом, а потом на правом боку.

Ну как, понравился вашему малышу этот эксперимент?

Если он похож на большинство детей в этом возрасте, то должен был прийти в полный восторг. Они *обожают*, когда их тормошат: вращают, перекатывают, трясут, качают и даже подбрасывают. Всё потому, что у детей от рождения очень хорошо развит вестибулярный аппарат: совокупность каналов и клеток во внутреннем ухе, которая отвечает за ощущение движения и равновесия. Если на короткое время вывести его из строя, например вращая кресло (в случае с ребенком) или приняв немного алкоголя (в случае взрослого), то это приводит к дезориентации в пространстве и легкому головокружению.

Иными словами, это ужасно весело.

Но такой эксперимент с участием ребенка — больше чем развлечение. Сознательное стимулирование вестибулярного аппарата очень полезно для развития его рефлексов и моторных навыков. Например, одно из исследований показало, что дети, которых вращали на кресле четыре раза в неделю на протяжении четырех недель подряд, раньше других овладевали основными моторными навыками: начинали сидеть, ползать, стоять и ходить.

Если вы относитесь к агрессивным альфа-родителям и уже приняли решение о том, что ваш отпрыск через 18 лет *обязательно* получит несколько предложений о зачислении в университеты с выплатой стипендии за достижения в баскетболе, это отличный способ начать тренировки.

Но даже если у вас нет таких четких и далеко идущих планов, можно время от времени повторять этот эксперимент с креслом, чтобы наблюдать за тем, как меняется его воздействие на ребенка. Начинайте в любой момент между 3 и 12 годами, но помните, что чем раньше начнете, тем более заметной будет польза. Для достижения максимального результата повторяйте процедуру 4 раза в неделю на протяжении 4 недель, т. е. в общей сложности 16 раз подряд.

Как помочь ребенку

Стимуляция вестибулярного аппарата ребенка хороша еще по одной причине: она его успокаивает.

Сами подумайте: когда ваш маленький ангел кричит во всю глотку, какой самый быстрый способ сделать так, чтобы он затих и успокоился? Правильно: поднять его, посадить на плечи и скакать с ним по комнате!

Эта стратегия работает так хорошо потому, что тряска и перекатывание — стимуляция вестибулярного аппарата.

Исследования показывают, что она оказывает на ребенка умиротворяющее действие — гораздо более умиротворяющее, чем прикосновения и увещевания успокаивающим голосом. Многие дети в возрасте шести-восьми месяцев даже *сами* начинают успокаивать себя, раскачиваясь, подпрыгивая, поворачиваясь или тряся головой. Ребенок кричит до тех пор, пока вы не бросите всё и не возьмете его на руки, *не для того*, чтобы вас помучить (хотя иногда такое ощущение и возникает). Он только просит вас сделать то, что могло бы его немного успокоить.

Как помочь себе

Ваш ребенок, скорее всего, готов вращаться в кресле хоть целый день, но *вам*, наверное, вскоре захочется сделать перерыв. А все потому, что вестибулярный аппарат с возрастом слабеет и люди всё хуже переносят качку.

Хорошо хотя бы то, что вы еще не слишком стары. Поэтому получайте как можно больше удовольствия от этого эксперимента сейчас: скорее всего, вы не захотите повторять его с внуками.

Эффектное исчезновение

7–9 месяцев: проверяем навыки решения проблем

Иметь ребенка очень приятно по многим причинам. Не последняя из них — то, каким крутым вы кажетесь своему малышу.

В его глазах вы супервысокий и невероятно сильный человек, знающий ответы на все мыслимые вопросы.

Проведя этот эксперимент, вы добавите в свое родительское резюме еще и такое качество, как «потрясающий, невероятный волшебник».

ЧТО ВАМ НУЖНО

1. Плоская поверхность.

2. Салфетка.

3. Игрушка, достаточно маленькая, чтобы ее можно было накрыть салфеткой.

4. Магией можно не владеть.

КАК ЭТО РАБОТАЕТ

Положите салфетку на плоскую поверхность перед ребенком так, чтобы та оказалась в пределах его досягаемости.

Покажите малышу игрушку, чтобы он ею заинтересовался. Вы даже можете дать ее ему подержать пару секунд, если это поможет привлечь его внимание.

Напомните себе, что вообще-то вы *не волшебник* и не пытаетесь им стать прямо сейчас.

На глазах у ребенка *и совершенно не таясь*, возьмите игрушку и поместите ее под салфетку. В том месте, где она будет спрятана, должен образоваться большой заметный бугор.

Посмотрите, что будет делать ребенок.

Есть пара возможных объяснений того, почему этот фокус так вам удался.

Первое — ваш малыш был настолько поражен этим «актом исчезновения», что даже не попытался поискать пропавшую игрушку под салфеткой. Наши поздравления: вы стали семейным Гудини!

На самом деле секрет головокружительного успеха этого, признаться, не очень сложного трюка прост: у маленьких детей еще не развито понимание *постоянства объекта*. За этим мудреным психологическим термином скрывается простое явление: вы знаете, что объект стабилен, постоянен и продолжает существовать, *даже если вы его не видите.*

Обычно понимание этого развивается у детей примерно к восьми месяцам. И как только это произойдет, ваш фокус перестанет работать. Когда ребенок осознает, что вещи не исчезают бесследно всякий раз, когда он теряет их из вида, он легко сможет находить игрушку под салфеткой — и даже отыщет мяч, когда тот в следующий раз закатится под диван.

Результаты недавних исследований навели специалистов по детскому развитию на мысль: на самом деле ваш малыш может знать о постоянстве объекта (хотя бы немного) задолго до того, как сможет показать это в ходе подобного эксперимента. В одном исследовании шестимесячные дети вытаскивали спрятанную игрушку, если у них была возможность сделать это сразу, и не делали этого, если им приходилось ждать. В другом трехмесячным детям показывали игрушечного кролика, который прогуливался перед ними взад-вперед, а затем скрывался за экраном с прорезанным в нем окошком. Когда кролик проходил за окошком, с места, откуда смотрели дети, казалось, что он исчезает, — и их это удивляло, а значит, они думали, что исчезнуть кролик не должен.

(Кстати, мы хотели включить в книгу и этот эксперимент, но он предполагает создание слишком сложных конструкций и способность удерживать ребенка в состоянии покоя в течение достаточно долгого времени. А с этим могут быть проблемы, учитывая, что вы до сих пор пытаетесь овладеть другим фокусом: как заменить подгузник, чтобы малыш при этом не вывернулся и не свалился с пеленального столика.)

Как помочь ребенку

Вашему ребенку свойственны естественное любопытство и мотивация исследовать окружающий мир. Активно изучая его, он получает важные уроки, в том числе узнает о постоянстве объекта. Вот почему очень важно думать о том, какую среду вы создаете для малыша.

Если учесть, насколько сильно влияет на его способность учиться то, что он видит и слышит, по-настоящему серьезной проблемой становится поиск ответа на вопрос, давать ли ему смотреть телевизор, и если да, то как долго.

Мы не из тех, кто считает телевизор абсолютным злом. Проводить вечера перед экраном за просмотром хорошего фильма стало в нашей семье доброй традицией. Но всё же с телевизором родителям нужно быть очень осторожными. И вот почему.

Телевизор влияет на развитие детей как минимум двумя способами. Во-первых, он отвлекает их от эмпирических игр, которые очень важны для развития интеллекта. Ваш мозг, как правило, отключается перед экраном. Детский тоже. (Это подтверждается тем, что дети обычно сидят перед большим экраном с характерно полуоткрытым ртом и бессмысленными глазами, как у зомби.) Вы думаете, что включаете телевизор в качестве фона, но он очень притягателен для вашего ребенка. И в конечном итоге малыш оказывается прямо перед ним, переставая играть в столь важные для развития его мозга игры.

Во-вторых (и это главная опасность телевизора), он вмешивается во взаимодействие ребенка *с вами*. А поскольку это взаимодействие — крайне важный способ обеспечить развитие речи и интеллекта ребенка, такая ситуация очень опасна для него. Дети больше узнают из простой болтовни с вами, чем из телевизора, сколь бы долго они его ни смотрели. Исследования показывают, что есть нечто в непосредственном общении, что не передается по телевизору. (Да, и даже так называемые образовательные передачи не могут заменить *вас*.)

Поэтому, когда вы в следующий раз соберетесь включать телевизор, подумайте хорошенько. Может, лучше провести время за разговором, играми или чтением, а не сидеть, уставившись в экран?

Как помочь себе

Ребенок учится тому, что объекты стабильны и постоянны, и вы тоже. Поэтому теперь, когда вы уходите из дома на работу или на минутку выходите из комнаты, он знает, что вы существуете, находитесь где-то неподалеку, и хочет, чтобы вы вернулись — немедленно!

Поэтому не удивляйтесь, что его быстрое интеллектуальное развитие сопровождается всё более трудными расставаниями. Будем надеяться, что эта тревога из-за разлуки с вами не покажется вам такой же травматичной, как ему.

Эффектное исчезновение. Продвинутый уровень

8–10 месяцев:
проверяем навыки решения проблем

Да, ваш ребенок каждый день учится новым удивительным вещам. Его уже не обвести вокруг пальца «волшебным фокусом» из эксперимента № 9. Но это не значит, что он уже во всем разобрался.

Этот эксперимент показывает ограничения недавно приобретенного вашим маленьким гением понимания постоянства объекта, которые позволят вам держать телефон, ключи, бумажник и вообще всё, что вам нужно, вне досягаемости его беспокойных ручек.

ЧТО ВАМ НУЖНО

1. Плоская поверхность.

2. Две одинаковые салфетки.

3. Одна игрушка, достаточно маленькая для того, чтобы ее можно было накрыть салфеткой.

КАК ЭТО РАБОТАЕТ

Расстелите обе салфетки перед ребенком на расстоянии нескольких сантиметров друг от друга так, чтобы он мог легко до них дотянуться.

Покажите ребенку игрушку, чтобы он ею заинтересовался. Вы даже можете дать ее ему подержать на пару секунд, если это поможет привлечь его внимание.

На глазах у ребенка и совершенно не таясь, возьмите игрушку и положите ее под салфетку.

Попросите ребенка найти игрушку. После того, как он ее достанет, скажите ему: «Молодец!» — и снова заберите ее.

Повторите шаги 2–4 трижды, или четырежды, или до тех пор, пока ребенок не найдет игрушку под одной и той же салфеткой четыре раза подряд.

Удостоверившись, что ребенок смотрит на вас, спрячьте игрушку под *другой* салфеткой.

Попросите малыша ее найти.

Смотрите, что он сделает.

Этот эксперимент показывает классическую проблему, с которой сталкиваются дети в этом возрасте. Спрячьте игрушку — и они смогут найти ее. Но если прятать игрушку много раз в одном месте, а потом в другом, они теряются и не знают, что делать.

Они не могут найти игрушку, хотя уже осознают постоянство объекта (знают, что он не исчезает только потому, что они теряют его из вида). Почему так происходит? Почему дети могут раз за разом находить игрушку в одном месте, но неспособны найти ее, когда место меняется? Они ведь видят бугор под салфеткой!

Многие пытались объяснить этот феномен. Один из вариантов — первоначальное понимание постоянства объекта детьми несовершенно. Они не могут мгновенно перейти от ощущения, что предметы волшебным образом исчезают, когда они их перестают видеть, к пониманию, что у предметов есть неизменные качества, существующие даже тогда, когда они вне поля зрения. И по щелчку они этому не учатся. Скорее дети *вроде* и *иногда* понимают это, прежде чем *полностью* поймут.

Второе объяснение — постоянное обращение к одному и тому же месту, где спрятана игрушка, создает моторный ритм, которому трудно противостоять. Ваш ребенок достает ее слева, слева, слева, слева... И вдруг вы хотите, чтобы он достал ее справа, а ему трудно перестроиться и преодолеть инерцию «продолжай доставать слева». И в пользу этого объяснения есть убедительные свидетельства: когда вы меняете положение ребенка, прежде чем спрятать игрушку под вторую салфетку (если он сидел у вас на коленях, его можно поставить, например), есть высокая вероятность, что это поможет преодолеть инерцию и найти игрушку в другом месте.

Это классный эксперимент. Но, увы, недолговечный. Через пару месяцев вашему ребенку уже ничто не будет мешать решать эту задачу. Он будет совершенно точно знать, что объект существует, даже когда скрывается из вида, и провести малыша, изменив место, куда вы прячете игрушку, не получится.

Как помочь ребенку

Ваш ребенок уже знает о постоянстве объекта, но этот эксперимент показывает, что бывают обстоятельства, в которых он не всегда может продемонстрировать это. Вот еще один пример. Результаты многих исследований говорят о том, что дети могут понимать 150 слов или даже больше, прежде чем смогут сказать хотя бы одно. Вот почему они часто выполняют простые просьбы вроде «возьми мяч» задолго до того, как научатся произносить слова, из которых она состоит.

Что из этого следует? Не стоит недооценивать детей.

Родители не представляют, что их дети знают так много слов. В результате упускают возможность расширить их знания: мол, всё равно ничего не поймут. Но дети, как правило, понимают больше, чем вам кажется. И даже если не понимают сейчас, то очень скоро поймут. Говорите с ними как можно больше, это поможет им развиваться быстрее.

Вот несколько подсказок по поводу того, как увеличить объем общения с ребенком.

- *Считайте своего ребенка полноценным собеседником независимо от того, каков его уровень владения языком.* Даже малыш, который не способен сказать ни слова, может реагировать на невербальном уровне. А чем больше вы говорите с ним, тем скорее он сможет поддержать разговор.

- *Не бойтесь использовать длинные слова.* Часто родители ошибочно полагают, что нужно говорить как можно более простыми фразами и повторять их как можно чаще. Но чем больше слов используете вы, тем богаче будет и словарь ребенка.

- *Описывайте и объясняйте.* Увеличивайте словарный запас ребенка, описывая, что вы делаете, и объясняя это ему. Рассказывайте об этапах приготовления печенья. Описывайте разницу между мотыльком и порхающей невдалеке бабочкой. Выражайте свое мнение о громком разводе знаменитости, за жизнью которой следите. Главное, говорите: никогда не знаешь, что подхватит ребенок.

Как помочь себе

Поскольку никогда не знаешь, что подхватит ребенок, неплохо бы извлечь из этого эксперимента уроки для себя.

Например, если малыш во время ужина постоянно хватает испачканными в еде ручонками ваш телефон, это не проблема. Спрячьте устройство под салфетку. Конечно, он поднимет ее и найдет там телефон, и так несколько раз. Но потом спрячьте телефон под другой салфеткой, и ребенок внезапно потеряет его из вида, как будто только родился.

Совет-бонус. Пока малыш осознаёт волшебное исчезновение телефона, открыв рот от изумления, воспользуйтесь моментом и засуньте туда шпинат или листик салата. Скорее всего, в вашем распоряжении всего несколько секунд, прежде чем он выйдет из ступора, так что не теряйте времени!

Моя любимая кукла

10–12 месяцев:
проверяем социальные навыки

Беспокоит ли вас, с кем водит дружбу ваш малыш? Может, ползает в плохой компании? Играет в погремушки с хулиганами? Ковыляет, держась за свою коляску, в опасном районе?

Нет, конечно. Он же еще маленький. Друзей ему пока выбираете вы.

Но довольно скоро ваш милый ангел начнет *сам* решать, с кем ему проводить время. И, как покажет этот эксперимент, у него *уже* есть инструменты для того, чтобы принимать подобные решения.

ЧТО ВАМ НУЖНО

1. Два вида пищевых продуктов, которые нравятся вашему ребенку.

2. Две миски, в которые их можно положить.

3. Две похожие, но не одинаковые куклы, мягкие игрушки и т. д., например лев и тигр или два плюшевых мишки в разной одежде. (Наверняка у вас такие найдутся, потому что по неясным причинам производители мишек любят их одевать.)

КАК ЭТО РАБОТАЕТ

Дайте ребенку миски с продуктами и предложите выбрать что-то одно. Обратите внимание, из какой миски он взял еду, и поставьте их перед куклами.

А теперь разыграйте для малыша небольшое представление! Во-первых, опустите лицо одной куклы в миску, издайте характерные чмокающе-чавкающие звуки и скажите: «У-у-у, нет. Мне это не нравится!» Потом та же кукла должна «попробовать» из другой миски со словами: «М-м-м, вкусно. Это мне нравится!»

Разыграйте ту же сценку с другой куклой, но ее предпочтения должны оказаться прямо противоположными. (Например, если первой понравились хлопья и не понравилась черника, то второй должна понравится черника и не понравиться хлопья.)

Посадите кукол перед ребенком и предложите поиграть с одной из них. Посмотрите, какую он возьмет.

Заметили что-то интересное в выборе партнера для игр?

Игрушке, с которой он захотел играть в конце эксперимента, скорее всего, «понравились» те же лакомства. Мы понимаем, что это довольно примитивный способ выбирать себе друзей, но вы сами видели, как ребенок только что это сделал.

Получается, ваш малыш уже наблюдает за другими и судит о них, хотя даже говорить пока не умеет. И каковы же его суждения? Он явно предпочитает игрушки (и людей), которые похожи на него.

Сходства и различия, которые определяют его предпочтения, не обязательно должны быть заметными. Если бы вы взяли для эксперимента продукты совершенно разного типа, например брюссельскую капусту и шоколадное пирожное, то могли бы предположить, что дети предпочли ту игрушку, которая ассоциируется у них с *лучшим вкусом*. Но поскольку им нравятся оба вида лакомств, этот фактор на их решение не влияет. Можно было бы предложить выбор еще более узкий — между почти одинаковыми печеньями, например, — и ребенок все равно выбрал бы игрушку, которой «нравится» то же, что и ему.

Хотите похожий эксперимент, но чтобы потом крошки не убирать? Он работает и с непищевыми предпочтениями! Ученые, которые проводили подобные исследования, обнаружили, что дети предпочитают кукол в перчатках того же цвета, как у них.

Самое замечательное то, что эффект, который вы наблюдали в своем маленьком ребенке, *не* ограничен нежным возрастом. Он будет проявляться и позже. Многочисленные исследования подтверждают: люди всех возрастов — дети, подростки, молодые родители, бабушки и дедушки — как правило, предпочитают тех, кто в чем-то на них похож. Предпочтения бывают основаны на произвольном сходстве, будь то выбор лакомств в рамках нашего эксперимента или более значимые моменты вроде пола, культурной общности и общей любви к нелепой старомодной растительности на лице.

Если вы привлекаете людей, похожих на вас, это может благоприятно сказаться и на ваших романтических отношениях. Несмотря на распространенное мнение о «притягивающихся противоположностях», исследования показывают, что людей привлекают потенциальные партнеры, которые похожи на них уровнем интеллекта, образования, социального положения, религиозной принадлежности и т. д. Да и браки между людьми, у которых много общего, обычно счастливее и длятся дольше.

Как помочь ребенку

То, что ваш малыш формирует свои предпочтения по отношению к другим, основываясь на воспринимаемом сходстве и различиях, естественно. Плюс в том, что так ему легче осознавать мир и свое место в нем. А минус — в том, что, как вы понимаете, в результате у него могут сложиться неверные стереотипы и предубеждения, которые ничего, кроме вреда, не принесут.

Лучше понимать других и уменьшить негативное влияние описанного эффекта на психику ребенку поможет обсуждение с ним сходства и различий между людьми. Здорово, если вы уже способны свободно разговаривать с ребенком на такие темы! Но вообще разговоры подобного рода между родителями и детьми — пока что большая редкость. Многие родители стараются *избегать* таких обсуждений в надежде, что дети станут относиться ко всем людям одинаково и не будут замечать «незначительных» отличий между ними.

Но проблема в том, что, как показывает проведенный вами эксперимент, ваш ребенок уже руководствуется одним из самых незначительных отличий, которое только можно вообразить. Поэтому говорить с ним об этом все же стоит.

Как помочь себе

Не чувствуете, что *всерьез* готовы говорить с ребенком на такие трудные темы, как предубеждения? Тогда можно попробовать книги или видео, подходящие для его возраста. К их выбору нужно отнестись внимательно. Истории для детей почти всегда заканчиваются хорошо и все персонажи становятся друзьями, но часто они основаны на конфликте, вызванном плохими поступками кого-то из героев.

Поросенок прогуливает школу и целый день валяется в грязи. Мишка крадет мед из улья своей бабушки. Сурок обижает младшего брата. Если даже ваш ребенок ничем подобным не занимается, то такое поведение персонажей книги или мультфильма может натолкнуть его на новые идеи, которые иначе могли бы и не возникнуть.

У вас и без того достаточно проблем. Не стоит давать ребенку повод подпасть под дурное влияние пусть и вымышленных героев.

ВТОРОЙ ГОДЪ

ПОЗДРАВЛЯЕМ: вы пережили первый год жизни ребенка! Если вам удалось *это*, остальное — пара пустяков.

Шутка. Теперь трудности будут расти в геометрической прогрессии.

Но в первые двенадцать месяцев вы проделали колоссальную работу. Поэтому сядьте поудобнее и воздайте должное тому огромному скачку в развитии, который сделал ваш малыш за это время, и вашей важной роли в этом.

Всё, хватит.

Хватит хвалить себя. Лучше попробовать разыскать своего годовалого ребенка: наверняка он уже разгромил что-то, о чем вы уже и позабыть успели. И раз уж встали, то не отходите от него: в этот год он будет расти так быстро, что не угонишься.

Это будет еще один год быстрого роста. Но, в отличие от первого, в начале которого у него были очень ограниченные возможности и его было легко контролировать, второй год он начинает подвижным, издающим много звуков и пытающимся манипулировать вами живчиком. А к концу года он будет так же сильно отличаться от себя нынешнего, как сейчас отличается от того малыша, каким вы его впервые увидели год назад.

За следующий год ваш ребенок запомнит множество слов, начнет пользоваться инструментами вроде расчесок, зубных щеток и кисточек для рисования (и временами даже *не* будет путать, какой из них в какой ситуации применять!), научится осознавать себя уникальной личностью и понимать, что мысли и восприятие других могут отличаться от его собственных. Этот рост окажется таким быстрым, границы станут раздвигаться так стремительно, что временами происходящее будет напоминать ураган.

К счастью, предлагаемые эксперименты помогут вам иногда поставить его на паузу и хотя бы частично разобраться в происходящем.

Болтливая дыня

12–14 месяцев:
проверяем развитие речи
и социальные навыки

Ловили себя за чтением вслух списка покупок в супермаркете? Или проигрыванием в лицах — утрированно — неловкого случая, который произошел неделю назад на вечеринке?

В такие моменты становится как-то не по себе, правда же?

А ваш ребенок слишком мал, чтобы чувствовать неудобство из-за того, что постоянно разговаривает сам с собой. И это хорошо, поскольку позволяет провести веселый эксперимент, о котором сейчас пойдет речь (а заодно узнать, насколько малыш уже адаптировался в обществе).

ЧТО ВАМ НУЖНО

1. Неодушевленный предмет без лица (вроде дыни, пушистого шлепанца или куска ваты).

2. Укрытие, достаточно большое, чтобы туда поместились вы или другой взрослый человек.

3. Взрослый сообщник.

4. Способность сдержать смех.

КАК ЭТО РАБОТАЕТ

Один взрослый берет тот самый выбранный вами неодушевленный предмет и прячется так, чтобы предмет оставался на виду, но его самого и его рук не было бы видно. Например, можно спрятаться под столом, а предмет держать так, как будто он «сидит» на столе.

Второй взрослый вводит ребенка в комнату и сажает, скажем, в высокий детский стульчик так, чтобы он оказался прямо напротив предмета «без лица». В общем, они должны сидеть «лицом к лицу». (Мы знаем, что эта фраза кажется бессмысленной, но это не совсем так. Поверьте нам.)

Убедившись, что ребенок следит за происходящим, взрослый, который остается на виду, примерно минуту «разговаривает» с неодушевленным предметом. После каждой фразы говорящего второй взрослый изображает реакцию предмета на сказанное: бурчит, жужжит или пищит — и немного двигает его, как если бы тот действительно «говорил». Диалог может выглядеть примерно так.

> *ВЗРОСЛЫЙ:* Привет. Как дела?
>
> *ПРЕДМЕТ:* (Поворачиваясь «лицом» к говорящему, прежде чем ответить.) Мыр, мыр-мыр, мыр-мыр-мыр, мыр.
>
> *ВЗРОСЛЫЙ:* Всё отлично, спасибо.

ПРЕДМЕТ: Мыр-мыр-мыр, мыр-мыр-мыр, мыр.

ВЗРОСЛЫЙ: Серьезно? Это интересно.

ПРЕДМЕТ: Мыр, мыр-мыр-мыр-мыр, мыр-мыр.

ВЗРОСЛЫЙ: Договорились. Пока!

ПРЕДМЕТ: Мыр, мыр-мыр, мыр-мыр-мыр, мыр.

ВЗРОСЛЫЙ: (Машет предмету на прощание и выходит из комнаты.)

Спрятавшийся взрослый поворачивает предмет «лицом» к ребенку и ждет какого-то действия: малыш может обратиться к предмету голосом или жестом.

Каждое такое действие взрослый должен считать репликой в диалоге, на которую предмет «реагирует» так же, как во время разговора со взрослым.

Посмотрите, как долго будет продолжаться эта клоунада.

Вы подлые обманщики. Вы только что обвели вокруг пальца свою невинную сладкую кроху и заставили ее подружиться с дыней. И это было удивительно легко, правда же?

Из-за того, как вы управляли этим неживым предметом: поворачивали его «лицом» к говорящему и делали вид, что он реагирует на сказанное, — он казался очень даже живым. И хотя вашему ребенку всего год, он уже достаточно умен для того, чтобы замечать эти социальные подсказки и относиться к предмету соответственно.

Тот факт, что ребенок так легко сошелся с чем-то, чья внешность абсолютно непохожа на человеческую, показывает, насколько он социален от природы. Он хочет говорить, общаться. А поскольку у вас, родителей, на плечах голова, а не фрукт, вы идеальный собеседник. И вот почему.

- *Вы мотивированы.* Кто больше вас заинтересован в развитии речи у вашего ребенка? Никто. Вот почему вы готовы снова и снова практиковаться с ним.

- *Вы задаете вопросы.* Родители, как правило, задают больше вопросов, что позволяет детям больше практиковаться.

- *У вас с ребенком много общего.* Впечатления вы получаете вместе, а значит, у вас много тем для разговоров. Вы знаете, какой мультяшный пони будет его любимцем на этой неделе и запах кого из животных в зоопарке покажется ему больше всего похожим на какашки. (Вы удивитесь, но это фламинго.) Всё это помогает сделать ваше общение более глубоким и долгим.

- *Это легче, чем вам кажется.* Вам достаточно открывать рот. Говорить можно о чем угодно: о том, какой он милый, какие звуки издают домашние животные, сколько вам нужно постирать, каковы прогнозы насчет губернаторских выборов. Важно не содержание разговора, а сам его факт. Так что говорите!

Пока словарь вашего ребенка не очень велик, поэтому его реакция будет по большей части невербальной. Но не думайте, что он необщительный. Еще какой общительный, просто ограниченный в средствах выражения. Обращайте внимание на его реакцию в любой форме, будь то слово, мычание, взгляд, жест или отрыжка, и считайте ее репликой в диалоге.

Довольно скоро он начнет отвечать вам полноценными предложениями, и вы перестанете нести основную нагрузку в ходе разговора.

И это произойдет так плавно, что вы даже не сможете сказать, в какой именно момент всё началось!

Как помочь ребенку

Готовность ответить на попытки ребенка общаться с вами — один из лучших способов стимулировать развитие его речи. Проявлять ее нужно с момента его рождения!

Услышав тоненький голосок своего малыша (независимо от того, произносит ли он слово целиком или отдельные звуки), обязательно отзовитесь: кивните, или улыбнитесь, или поинтересуйтесь, что он делает, или прикоснитесь к нему. Такая своевременная реакция станет для него своего рода наградой и поощрит его продолжать общение.

Когда наша дочь была маленькой, мы всегда живо реагировали на ее попытки говорить. Иногда прямо так и обращались к ней: «Нам нравится твой голосок. Мы любим, когда ты говоришь». Возможно, не случайно она рано заговорила и ее словарный запас расширялся очень быстро. И то и другое характерно для детей, родители которых более отзывчивы к их первым попыткам коммуникации. Сожалеем о тех наших словах мы только иногда: когда дочь распевает во все горло и мы просим ее прекратить, потому что у нас уже в голове звенит, она только смеется: «Вы это понарошку. Я знаю, вам нравится мой голос!»

Как помочь себе

Есть пара приемов, которые помогут утихомирить вашего разговорчивого ребенка на те несколько минут, которые вам нужны, чтобы проверить автоответчик, уложить другого малыша или выяснить, откуда раздается мяуканье пропавшего кота.

Во-первых, всегда можно попробовать проверенную временем игру в «молчанку», которую наверняка использовали и ваши родители, когда вам был год или два. Это когда вы говорите что-то вроде: «Эй, малыш, давай посмотрим, кто сможет дольше помолчать. Поехали!» Если «победит» ребенок, в выигрыше окажетесь вы.

Во-вторых, важно помнить: с ребенком говорить здорово, но вы не обязаны делать это постоянно. Дайте ему какое-то время для самостоятельного изучения окружающей среды и взаимодействия с ней. В конце концов, этот эксперимент показал, что он может болтать практически с любым предметом в доме! Кроме того, когда ребенок играет один, это благотворно влияет на развитие его интеллекта и моторных навыков — а вы получаете столь нужный вам перерыв!

Я тебя знаю?

12–18 месяцев:
проверяем социальное развитие

К этому моменту ваш ребенок уже весьма хорошо вас знает. Знает ваше лицо, голос и даже запах. Знает, что вы подносите к его рту еду, когда он голоден, и читаете ему книжку, когда он кладет ее перед вами.

Так что же будет, если он обнаружит, что обтянутая джинсами нога, за которую он цепляется, принадлежит не вам? Справится со страхом или попытается убежать и спрятаться?

Этот классический для специалистов по изучению детского развития эксперимент, в котором вам предстоит поменяться местами с незнакомым вашему ребенку человеком, покажет, насколько малыш по-прежнему привязан к вам.

ЧТО ВАМ НУЖНО

1. Комната с двумя креслами и игрушками на полу.

2. Кто-то незнакомый вашему ребенку (но не вам, это уже слишком).

КАК ЭТО РАБОТАЕТ

Войдите в комнату вместе с ребенком, сядьте в одно из кресел, а малышу позвольте изучать лежащие на полу игрушки. Сидите примерно три минуты.

Теперь в комнату должен войти незнакомец, приветствовать вас и тихо сесть во второе кресло. Подождите еще три минуты.

Пока незнакомец отвлекает вашего ребенка, выйдите из комнаты. После вашего ухода незнакомец должен оставаться в комнате еще три минуты.

Вернитесь в комнату и позвольте незнакомцу уйти. Оставайтесь в комнате — вы угадали! — три минуты.

Покиньте комнату, но на этот раз незнакомец не должен вас заменять. Теперь ребенок три минуты побудет в комнате один.

Пусть в комнату войдет незнакомец и три минуты побудет с ребенком.

Вернитесь в комнату, а незнакомцу позвольте уйти.

Если одна мысль о том, чтобы провести такой эксперимент, пугает вас настолько, что вы готовы от него отказаться, не беспокойтесь. Вы можете составить некоторое представление о том, как мог бы повести себя ваш ребенок в подобной ситуации, если обратите внимание на то, как он реагирует на ваш уход и возвращение в реальной жизни, например, когда ему приходится оставаться наедине с новой няней или незнакомым родственником.

Вся эта безумная перетасовка родителя и незнакомца — то в комнате только вы, то вместе, то только он, то вообще никого из взрослых — предназначена для того, чтобы оценить уровень привязанности ребенка к вам. Реакция его может варьировать в очень широких пределах: от абсолютного неприятия того, что вы скрываетесь из виду, до невозмутимого согласия с тем, что теперь за ним будет присматривать незнакомый взрослый. (Сочувствуем, если на вашу долю выпал последний вариант. Это может вас ранить.)

Реакция, которая для вас желательна — психологи называют ее «безопасной привязанностью», — находится ровно посередине между двумя этими полюсами. Привязанность ребенка к вам считается безопасной, если сохраняется разумный баланс между его желаниями быть рядом с вами и независимо исследовать окружающий его мир. В данном эксперименте это выглядит примерно так.

- Пока вы поблизости, ребенок активно изучает комнату, рассматривает игрушки, ходит повсюду, играет свободно, чувствует себя комфортно.

- Когда вас нет, ребенок играет и изучает пространство менее раскованно.

- Когда вы возвращаетесь, он радуется и старается оказаться ближе к вам.

Испытывающий безопасную привязанность к вам ребенок с любопытством отнесется к появлению незнакомца и примет его, но *не* будет считать его заменой вам (свидетельством чему станет его радость при вашем возвращении). Если же вы переживаете, собираясь выйти из комнаты, с грустью представляете то, каким потерянным он чувствует себя в ваше отсутствие, хотите прижать его к себе всякий раз, когда возвращаетесь в комнату, то есть шанс, что и ваша привязанность к нему безопасна.

Безопасная привязанность благотворна для вас обоих. В этом случае ребенок считает вас надежной опорой. Исследуя окружающий мир, он чувствует себя уверенно, потому что знает: вы рядом и всегда поддержите его. Это также означает, что во время ежедневных расставаний ребенок, скорее всего, меньше плачет, позитивно реагирует на ваше возвращение и с готовностью выполняет ваши распоряжения (даже если они не всегда ему нравятся). Это предвещает ему более благополучное будущее. Дети, испытывающие безопасную привязанность к родителям, как правило, отличаются большей психологической устойчивостью и лучшим физическим здоровьем, а став взрослыми, успешнее выстраивают отношения с людьми и реже страдают наркотической зависимостью.

Но что если в ходе этого эксперимента ваш ребенок не продемонстрирует хрестоматийную безопасную привязанность? Что если он продолжит играть независимо от того, в комнате вы или нет, очень встревожится или расстроится, станет избегать вас после вашего возвращения? Не придавайте этому слишком большого значения: детская привязанность может меняться в широком диапазоне. Дети иногда демонстрируют безопасную привязанность в год — и ведут себя иначе в полтора, или наоборот. А после полутора лет вы вообще не сможете провести этот эксперимент. Теперь присутствие незнакомцев связано для детей с меньшим стрессом, и им легче переживать отсутствие родителей.

Традиционно привязанность оценивают в рамках отношений ребенка и матери. Но она не ограничивается этим. Дети могут быть безопасно привязаны и к другим людям, играющим важную роль в их жизни, включая отцов, братьев и сестер, друзей, бабушек и дедушек, нянь и всех остальных, с кем они часто и близко общаются.

О том, что такое привязанность к братьям и сестрам, мы узнали на собственном опыте, когда начали оставлять второго ребенка с няней вместе с сестренкой и обнаружили, что это его нисколько не беспокоит! Вначале мы приняли это очень близко к сердцу, решив, что сын привязан к нам гораздо меньше, чем его сестра в таком же возрасте. Но потом как-то впервые отправились с ним на прогулку *без* сестры и увидели совсем другого ребенка. Он не отходил от нас и отказывался играть, если мы не были совсем рядом. И тогда нас осенило, что он так спокойно себя чувствовал даже в новых обстоятельствах, даже с незнакомцами, потому что испытывал безопасную привязанность к сестре.

Как помочь ребенку

Один из лучших способов обеспечить безопасную привязанность ребенка — быть чувствительными и отзывчивыми к его нуждам. Исследования показывают, что родители, дети которых ощущают к ним безопасную привязанность, обычно правильно «считывают» сигналы малышей и быстро реагируют на них. Если взять ребенка на руки, когда он хочет тепла, или успокоить его, когда он плачет, это покажет ему, что вы внимательны, близки и надежны.

Но отзывчивость и чувствительность не означают, что нужно баловать ребенка и ограждать его от любого дискомфорта.

Малышу полезно время от времени сталкиваться с трудностями, чтобы выработать разные важные навыки.

Например, если научить его самостоятельно успокаиваться и засыпать (вместо того чтобы брать его на руки и давать грудь по первому же писку), это и ему, и *вам* даст возможность спать гораздо лучше. Пусть он сам решает некоторые проблемы: так будет лучше в первую очередь для него. Не стоит бросаться собирать пазл, заметив, что малыш на секунду задумался над ним; не стоит подсказывать правильное решение математической задачи до тех пор, пока ребенок не потратил некоторое время на самостоятельный его поиск. Дети, которым дают побороться с трудной проблемой, в конце концов понимают, что, приложив определенные — пусть и значительные — усилия, они могут сами успешно решить ее.

Если вы ведете себя так, как мы советуем, но не смогли построить сбалансированную привязанность к себе, не вините себя. В конце концов, вы только одна из сторон отношений. На них влияют и уровень социальной ориентированности вашего ребенка, и легкость его характера. Главное — давать ему достаточно любви и тепла, уравновешенных родительской заботой и разумными ограничениями. Тогда вы сделаете максимум того, что в ваших силах, чтобы обеспечить позитивное эмоциональное развитие.

Как помочь себе

Если вы когда-либо оставляли детей с няней, чтобы устроить себе заслуженный (и, вероятно, запоздалый) вечер вдвоем, то могли сталкиваться с подобным экспериментом в реальной жизни. Вот несколько подсказок, которые помогут смягчить стресс от замены родителей незнакомцем.

- *Прежде чем оставлять ребенка с новой няней, побудьте некоторое время все вместе.* Пригласите ее заранее на час-другой и поиграйте с ребенком на полу. Постарайтесь, чтобы няня и ребенок играли друг с другом. Заодно познакомьте ее с домом и с тем, что она должна делать в ваше отсутствие.

- *Поговорите с ребенком, подготовьте его к приходу няни.* Объясните, что вы уйдете, а ему нужно будет побыть с ней. Дети понимают больше, чем мы думаем, и, если предупредить их заранее, они смогут лучше эмоционально подготовиться. Не забудьте рассказать, как весело им будет с няней.

- *Выдайте няне расширенную лицензию на удовольствия.* Мы хотим, чтобы наши дети *любили* няню, и поэтому разрешаем ей больше смотреть с ними телевизор и вообще всячески баловать их. Это срабатывает: дочь иногда *сама* просит нас уйти куда-нибудь, лишь бы провести время с няней. Везет же нам!

Настоящее волшебство

12–18 месяцев:
проверяем навыки решения проблем

Гудини освобождался от смирительной рубашки, будучи подвешенным вниз головой на крыше высотного здания. Дэвид Копперфильд проходил сквозь Великую Китайскую стену. Но для многих родителей вроде нас с вами самым волшебным фокусом было бы то, что позволит нам быть *на шаг впереди* своего стремительно приобретающего новый опыт ребенка.

Дамы и господа, не об этом ли эксперименте вы мечтали? Попробуйте, если вашего малыша уже не обмануть «волшебными фокусами» № 9 и 10.

ЧТО ВАМ НУЖНО

1. Салфетка.

2. Игрушка, достаточно маленькая для того, чтобы ее можно было накрыть ладонью.

3. Может, чуть-чуть ловкости рук, если вы ею обладаете.

КАК ЭТО РАБОТАЕТ

Расстелите салфетку перед ребенком так, чтобы он легко мог до нее дотянуться.

Покажите ребенку игрушку так, чтобы он ею заинтересовался. Можете даже дать ему подержать ее пару секунд, если это позволит привлечь его внимание.

Возьмите игрушку и положите на стол перед ним.

На глазах ребенка накройте ее ладонью так, чтобы ее было не видно.

Двигайте руку (вместе с игрушкой) в сторону салфетки и под нее, пока она не накроет ее полностью.

Незаметно оставьте игрушку под салфеткой, а руку верните в исходную точку, двигая ее по столу так, чтобы ребенок не заметил отсутствия игрушки в ней.

Переверните руку ладонью вверх, чтобы ребенок увидел, что она пуста. (Если хочется, можно делать пассы руками и поднимать брови, как настоящий фокусник.)

Посмотрите, что будет делать ребенок.

Вот, наконец-то ваша взяла.

На протяжении нескольких последних месяцев вы видели, как ваш малыш учился находить под салфетками всё, что вы прятали. Сначала ключи. А потом и телефон под другой тряпочкой. Но сейчас, похоже, ваша вещь в безопасности: вы провели ребенка.

Да, он знает, что предмет не перестает существовать, исчезая из поля зрения, и что спрятать его можно не в одном, а в разных местах, но почему-то не догадывается поискать игрушку под салфеткой, не обнаружив ее в вашей руке. Особенно удивляет нас, взрослых, то, что бугор-то над спрятанной игрушкой виден отчетливо!

На самом деле мыслительный процесс, который помогает разгадать этот фокус, хоть и кажется нам вполне естественным и привычным, пока совсем не знаком детям. Понятие постоянства объекта сформировалось у малыша несколько месяцев назад, но примерно до полутора лет ему не под силу столь сложные задачи с исчезновением предметов. Для их решения ребенок должен уметь удерживать в мозге образ объекта настолько хорошо, чтобы отслеживать и запоминать маршрут его перемещения, даже не видя сам объект.

Как помочь ребенку

Этот эксперимент хорошо показывает способность вашего ребенка формулировать проблему (необходимость найти спрятанную игрушку) и делать шаги для ее решения (посмотреть под вашей ладонью, а если там нет — под салфеткой).

В ближайшие годы вы будете помогать ребенку приобретать навыки решения проблем в самых разных областях: играя в игры, готовясь к экзамену, обращаясь с деньгами и т. д. Чтобы быть максимально полезным ему, стоит помнить о следующем.

- *Постоянно следите за тем, насколько хорошо он вас понимает, реагируйте на увеличение его знаний. Это значит,* что ребенку нужно давать больше самостоятельности и меньше вмешиваться там, где, по вашим ощущениям, он достаточно хорошо справляется сам, а дополнительную поддержку оказывать только тогда, когда он в ней действительно нуждается.

• *Четко обсуждайте с ребенком свой ход мыслей и применяемую стратегию.* Например, расскажите ему, как *вы* обдумывали проблему и искали ее решение; как *вы* поняли, что не запомните номер телефона, и поэтому записали его на бумажке; как *вы* проверяете свои знания, когда учите что-то. Это поможет ему не только развить тот навык, который вы обсуждаете, но и лучше представлять себе собственные психические процессы (то, как *он сам* думает) в целом.

• *Приветствуйте попытки ребенка говорить.* Исследования показывают: когда ученики своими словами объясняют задачу, которую нужно решить, или пересказывают только что прочитанный текст, это помогает им лучше усвоить информацию и показывать более высокие результаты тестирования.

Как помочь себе

Если вы так же помешаны на детских фокусах, как *один* из авторов этой книги (не будем говорить, кто именно... хотя это Энди), не торопитесь откладывать волшебную палочку. Возможно, конкретно *этот* фокус с вашим ребенком скоро уже не будет проходить, но вы, без сомнения, еще много лет сможете удивлять его своим любительским волшебством.

Исследования показывают, что дети считают волшебные фокусы — вроде разрезания и соединения веревки, вытаскивания кролика из шляпы или балансирования государственного бюджета — *настоящим волшебством* примерно до 5 лет. Потом начинают осознавать, что это только трюки, но все же считают их довольно забавными. По крайней мере пока все их одноклассники не придут к мнению, что фокусы — это «полный отстой». Тогда уже ваш ребенок больше никогда не захочет наблюдать их в вашем исполнении.

Увы.

А ведь они были очень хороши, правда.

Руки говорят

12–24 месяца:
проверяем развитие речи

Ну-ка быстро покажите нам свой любимый жест!

Фу-у... И этими руками вы ребенка купаете?

Но хотя идея общения жестами в нашем случае, скорее всего, провалилась, дети — совершенно иная история.

Попробуйте провести этот эксперимент с участием вашего милого ангелочка, и вы увидите, как много он уже жестикулирует, как эти жесты предсказывают основные вехи развития его речи и как с их помощью вы можете расширить его постоянно растущий словарь!

ЧТО ВАМ НУЖНО

1. Ваше внимание.

2. Отсутствие помех между ребенком и вашими глазами.

КАК ЭТО РАБОТАЕТ

Поскольку это эксперимент, основанный на наблюдении, никакого специального оборудования или подготовки не понадобится. Нужно только следить за ребенком в ходе каждодневного общения с ним и обращать внимание на следующие моменты.

На какие предметы показывает ребенок? Интересуют все типы жестов, включая указание на предметы, протягивание руки к чему бы то ни было, удержание предмета в руке, протягивание ее в вашу сторону, чтобы показать вам, и т. д.

Как часто он указывает на различные предметы? Обратите особенное внимание, если он начинает жестикулировать больше обычного.

Бывает ли, что ребенок показывает жест и одновременно произносит слово? Часто слова объединяются с жестами. Например, он говорит «молоко» и указывает на бутылочку, говорит «папа» и делает движение в сторону кресла, говорит «Макарена» и начинает танцевать буги (хоть это и неправильно, да?).

Что вы заметили? Вероятно, что ваш малыш использует гораздо больше жестов, чем вам казалось! Указание руками — настолько естественный этап развития, что его проходят даже незрячие дети, хотя они не видят жестов других, своих жестов и не понимают, какую реакцию те вызывают у окружающих.

Жесты — вовсе не бессмысленные движения, призванные занять руки в то время, как рот произносит слова. Они тесно взаимосвязаны с тем, как вы думаете, говорите и общаетесь с людьми. Подумайте, насколько информативны жесты ребенка. Он может не произнести ни слова, но вы, наблюдая за движениями его руки, легко определяете, хочет ли он, чтобы вы дали ему бутылочку или, наоборот, убрали ее подальше.

Почему же вашему ребенку так хорошо удается выразить свою мысль жестами? Отчасти потому, что он долго практиковался в этом искусстве. Поскольку руки контролировать легче, чем голосовые связки, дети начинают общаться с помощью жестов гораздо раньше, чем могут то же сказать словами. Они показывают раньше, чем говорят первые слова, и комбинируют жесты со словами раньше, чем могут соединять слова в предложения. То, что *сейчас* ребенок сообщает руками, показывает, что он *скоро* будет сообщать при помощи рта.

За чем конкретно нужно наблюдать в ходе эксперимента, о котором мы говорим?

Во-первых, мы попросили вас обращать внимание, на *какие объекты* указывает ребенок: скорее всего, именно их названия он вскоре начнет произносить. Как правило, именно эти слова первыми входят в его лексикон.

Во-вторых, нужно обращать внимание на то, *как часто* ребенок указывает на объекты. Это показатель того, насколько обширным будет его первый словарь. Чем больше объектов, на которые он указывает, тем ближе он к изучению новых слов.

И, наконец, отмечайте случаи, когда ваш ребенок *указывает на что-то и одновременно произносит слово*. Это означает, что он почти способен соединить два слова, создав первое простое предложение. И если он говорит «папа» и показывает на кресло, скоро он сможет сказать «папа, сядь».

Как помочь ребенку

Используйте жесты *сами*! (Кроме неприличных, естественно.) Исследования показывают, что у детей, чьи родители больше жестикулируют, как правило, шире словарный запас. (Вероятно, им также чаще нечаянно попадают пальцем в глаз, но лично нам это кажется вполне приемлемым компромиссом.)

Дети не только учатся благодаря вашим жестам, но и, видя их, сами больше жестикулируют, а это, как показывают эксперименты, благотворно влияет на развитие словарного запаса.

Главная причина, по которой дети, использующие больше жестов, знают больше слов, — это *вы*. Когда дети жестикулируют, родители в ответ говорят. Например, если ваш ненасытный шельмец показывает на яблоко, сжимая и разжимая ладонь, вы, скорее всего, отреагируете так: «Яблоко? Ты хочешь яблоко?» Если он кивает и продолжает движения, вы, скорее всего, скажете: «Да, точно, яблоко. Любишь яблоки? Хорошо, но сначала я его очищу». Видите, что он сделал? Своими жестами он заставил вас говорить. Говорить. Говорить. Говорить. И чем больше вы говорите, тем больше слов он запоминает.

Вот несколько предложений по усилению жестикуляции.

- *Используйте жесты, когда говорите о предметах.* Если указать на предмет, который вы называете, или взять его в руки и показать ребенку, это поможет быстрее запомнить его.

- *Используйте жесты, когда говорите о действиях.* Маленькая пантомима с изображением действий, которые вы называете, поможет ребенку понять значения глаголов.

В отличие от существительных, глаголы обозначают то, что нельзя увидеть и потрогать (например, слово «прыгать» воплощается в жизнь на долю секунды, только в момент самого прыжка, а игрушечная панда сидит в углу и смотрит на вас целый день), поэтому детям сложнее их запомнить.

- *Используйте жесты, когда читаете книги.* Если показывать ребенку на иллюстрации во время чтения, это поможет ему понять, как слова, которые он слышит, соотносятся с тем, что он видит на картинках. Укажите ему на персонажа, имя которого произносите, или изобразите действие, описываемое в тексте, — и он быстрее запомнит слово и легче поймет историю. А если, читая, вести пальцем по строчкам, ему станет понятно, что эти строчки и буквы действительно что-то значат.

- *Пойте песни, которые предполагают использование жестов.* Если в них говорится о пауках, колесах автобуса, коленях и пальцах ног, это просто весело. А если руки ребенка двигаются, он, скорее всего, будет активнее жестикулировать — как во время песни, так и после ее окончания.

Как помочь себе

Исследования показывают, что дети легче узнают и запоминают новое, когда или сами, или их преподаватель много жестикулируют во время урока.

Когда в следующий раз вам нужно будет объяснить малышу то, что ему *на самом деле* нужно запомнить — скажем, что пить из горшка *нельзя*, — не полагайтесь только на слова. Оттолкните горшок руками, состройте недовольную гримасу, попытайтесь стереть этот ужасный вкус с языка, мечитесь из стороны в сторону, стоните, причитайте, сделайте такое гадливое лицо, какое ваш ребенок никогда у вас не видел.

И тогда, возможно — только возможно, — он не повторит этого завтра.

Обезьянка

14–18 месяцев:
проверяем социальные навыки,
обучаемость, память

Дети непредсказуемы.

Всякий раз, когда они умудряются самостоятельно избавиться от подгузника, или сообщают вам, что если бы могли выбирать, кем родиться, то стали бы Пегасом, или тренируют парикмахерские навыки на вашей собаке, понимаешь, что во многом роль родителей сводится к тому, чтобы раз за разом, сталкиваясь с чем-то шокирующим, задаваться вопросом: «Откуда, черт возьми, они все это берут?»

Этот эксперимент покажет, что на самом деле очень многому они учатся у вас!

ЧТО ВАМ НУЖНО

1. Предмет, который ваш ребенок никогда прежде не видел и который при этом безопасен для него (пожалуйста, никаких бензопил).

2. Идея действительно новаторского способа взаимодействия с этим предметом: неправильно, если ребенок что-то придумает сам или вспомнит, что видел, как с этим предметом обращались другие. Вот несколько правильных примеров.

- Яблоко, тыква или другой фрукт или овощ, которые вы катаете ногами, как мяч.

- Загадочная канцелярская принадлежность, которую вы принесли с работы и зажали под мышкой.

- Неизвестный ребенку кухонный аксессуар, который вы приклеили к локтю.

- Любая игрушка вроде причина/следствие — знаете, из тех штуковин на батарейках, которые, если нажать кнопку, начинают мигать, жужжать, играть музыку или делать еще что-то ужасно раздражающее, так что хочется немедля разломать ее на мелкие части и выбросить, — которую вы используете каким-то странным, необычным способом.

КАК ЭТО РАБОТАЕТ

Выберите предмет, который собираетесь показать ребенку, и пару раз тайно потренируйтесь обращаться с ним тем самым странным и необычным способом, чтобы чувствовать себя уверенно.

Возьмите этот предмет в руки и сядьте неподалеку от ребенка, но не очень близко (чтобы он не мог забрать ваш реквизит сразу же).

Привлеките внимание ребенка словами вроде: «Посмотри-ка! Посмотри, что я делаю!»

Когда ребенок посмотрит на вас, трижды продемонстрируйте свое умение обращаться с выбранным вами предметом нетрадиционным способом. Можете повторять при этом: «Смотри на меня! Смотри!» — как амбициозный подросток, мечтающий о собственном реалити-шоу. На этом шаге важно привлечь внимание ребенка.

Немедленно отвлеките ребенка чем-то еще, а предмет спрячьте, чтобы какое-то время он не мог его видеть и играть с ним.

Подождите минимум пятнадцать минут, после чего снова достаньте свой реквизит, положите его перед ребенком и предложите поиграть с ним.

Посмотрите, что он будет делать.

Ваша «обезьянка» способна копировать очень многое — например, выражение лица — с момента рождения. Но то, что вы видите в ходе *этого* эксперимента, — не просто подражание. Вы отвлекли ребенка, не дав ему новую игрушку сразу, а потом увидели, как он повторил ваши манипуляции с ней. Вы стали свидетелем фокуса, который ваш малыш стал осваивать только сейчас: *отложенного подражания*.

Это явление предполагает, что ребенок видит то, что вы делаете, запоминает и повторяет позже, когда вы уже закончили свои манипуляции. Малыш продемонстрировал вам пример отложенного подражания в ходе этого эксперимента, но вероятно, что вы сталкиваетесь с ним и в повседневной жизни. Наверняка вы видели, как он хватает ключи от машины, влезает в ваши огромные туфли и направляется к входной двери. Это подражание тому, как вы каждый день уходите из дома. А если он вдруг поприветствует бабушку теплым, сердечным «Это что за фигня?», то, вероятно, потому, что услышал, как вы бросили это в сердцах кому-то по дороге к ней.

Когда к обычному подражанию добавляется компонент воспоминаний, эффект в случае такого маленького ребенка, как ваш, получается сильным. Но знаете, что еще удивительнее? Исследователи, разработавшие этот эксперимент, обнаружили, что на самом деле малыш способен удерживать действие в памяти гораздо дольше, чем заставили его ждать вы. В одном из исследований дети в возрасте 14 месяцев продемонстрировали способности воспроизвести действия с игрушкой через неделю после того, как их наблюдали!

Но возможно, что в ходе этого эксперимента ваш ребенок не станет подражать вам совсем! И в этом случае волноваться не стоит. Возможно, малышу для развития этого навыка нужен еще месяц-другой. Или он вообще не будет силен в имитировании. Исследования показывают, что способность детей к отложенному подражанию очень различна: одни подражают активно, другие почти не делают этого. Как правило, отличия остаются стабильными. Поэтому может быть так, что ребенок, внимательно понаблюдав за вами, скопирует ваши действия до мелочей или, внимательно посмотрев, как вы вытворяете какие-то совершенно идиотские манипуляции, решит не следовать вашему примеру.

Но независимо от того, копирует вас ребенок или нет, обучение через подражание для него — естественный процесс. И он наблюдает за вами и учится у вас постоянно — даже тогда, когда вы ничему не пытаетесь его учить!

Как помочь ребенку

Все хотят, чтобы их ребенок хорошо успевал в школе, верно? Для этого важно в числе прочего уметь читать и писать. Приступая к обучению, помните: есть разные способы вложить в голову ребенка то, что ему нужно знать.

Можно пойти по прямому пути: читать с ребенком, учить его буквам и звукам, давать практиковаться в написании букв и т. п. Но есть и другой способ, о котором вы могли не подумать и который связан с естественной склонностью детей к подражанию: наблюдение за тем, как *вы* читаете книги и получаете удовольствие от этого.

Поскольку родители — важные образцы для своих детей (даже если не пытаются ими быть), наблюдение за тем, как взрослые погрузились в чтение романа, изучают поваренную книгу или листают инструкцию в поисках ответа на вопрос «как вытащить из вращающейся штуки на дне посудомойки эти игрушечные кроличьи уши, невесть как туда попавшие?», заметно влияет на малышей. Они понимают, что книги — вовсе не детское развлечение, о котором следует забыть сразу же, как станешь достаточно взрослым, чтобы иметь возможность иначе распоряжаться своим временем.

Развить способности ребенка к чтению может даже простое наличие дома книг и других печатных материалов. Если они под рукой, дети скорее их используют. Поэтому сделайте так, чтобы повсюду в вашем доме было то, что можно почитать. И подайте ребенку пример!

(То, что вы читаете сейчас эту книгу, — уже хорошее начало!)

Как помочь себе

Вряд ли вы горите желанием всё детство ребенка ходить сгорбившись, ликвидируя последствия бесконечного урагана из игрушек; наверняка вам хочется, чтобы он убирал разбросанное как можно скорее.

Для этого лучше использовать комбинацию прямых команд («Так, внимание! Время уборки!» или «Тряпкой для пыли пользуются вот так») и ролевых моделей (пусть *видит*, как вы моете посуду и пылесосите ковер, и постарайтесь в своей комнате поддерживать такой же порядок, какой хотели бы видеть в детской). Тогда можно надеяться, что когда-нибудь, если повезет, ваш дом перестанет выглядеть как место природной катастрофы.

Зачем вам горошек и печенье?

14–18 месяцев:
проверяем социальные навыки

Английский поэт Уильям Купер сказал: «Перемены придают остроту жизни». Но наверняка ему был не один год. Маленькие дети любят то, что любят, и для них не проблема сказать вам, что они *не любят*, если вы даете им это на ужин.

А поскольку они маленькие, то еще не знают, что другим людям может нравиться что-то совсем другое.

Но однажды они начинают это понимать. Проведите этот эксперимент дважды: один раз, когда вашему ребенку будет 14 месяцев, а потом 4 месяца спустя, — и посмотрите, что будет!

ЧТО ВАМ НУЖНО

1. Тарелка с лакомством, которое точно понравится вашему ребенку (в нашем случае отлично подошли крекеры в форме рыбок).

2. Тарелка с тем, что точно ему **не** нравится (скажем, горошек в глазури с васаби).

3. Поднос, на котором поместятся обе тарелки.

КАК ЭТО РАБОТАЕТ

Прежде чем начать эксперимент, поставьте две тарелки с едой так, чтобы ребенок их видел, и предложите попробовать пищу в процессе игры. Необязательно, чтобы он попробовал из обеих тарелок или вообще откликнулся на предложение, главное — дать ему возможность удовлетворить свое любопытство (или голод), чтобы это не отвлекало потом.

Сядьте за стол напротив ребенка. Он может быть, например, в своем высоком стульчике или на коленях у кого-то из взрослых.

Поставьте перед собой поднос с двумя тарелками так, чтобы ребенок не мог до него дотянуться.

Попробуйте то, что *не нравится* вашему ребенку, изобразив на лице выражение явного, преувеличенного удовольствия, а также издавая звуки, которые, как ему известно, показывают ваше восхищение едой: «М-м-м-м! Горошек! М-м-м-м! Я ем горошек! М-м-м-м, м-м-м-м!»

Теперь попробуйте то, что вашему ребенку *нравится*, изобразив на лице выражение явного, преувеличенного неудовольствия, а также издавая звуки, которые показывают ваше отвращение от еды: «Фу-у-у! Крекеры! Фу-у-у! Я ем крекеры! Фу-у-у, бэ-э-э!»

Положите одну руку ладонью вверх ровно посередине между двумя тарелками. Спросите малыша: «Можешь дать мне что-нибудь?» — и подвиньте к нему поднос. Если он возьмет что-то и даст вам, поздравляем! Эксперимент закончен! Если не даст сразу, просите, пока не получите. (А если он начнет есть сам, нужно убрать руку и протянуть ее только в тот момент, когда у него не будет еды ни в руках, ни во рту и он не будет тянуться к тарелке.)

Итак, напомним себе, что произошло. Вы приготовили себе и своему визави за столом два разных вида еды. Вы попробовали оба у него на глазах и *преувеличенно* показали, что один из них вам понравился, а второй вызвал отвращение. А потом попросили ребенка угостить вас чем-нибудь. Что же он вам дал?

Ну, если вы проводили этот эксперимент, когда ребенку было 14 месяцев, то, скорее всего, он дал вам те лакомства, которые вам только что «совсем не понравились»! Причем с улыбкой. Что за двуличную, пассивно-агрессивную, говорящую о полной готовности к интригам, типичным для старших классов средней школы, игру затеял ваш малыш?

На самом деле ни во что он не играет.

Давая вам ту еду, которую вы недавно забраковали, ваш ребенок поступил очень мило. Ведь это то, что нравится *ему*. А в этом возрасте он не в состоянии разделять то, что нравится ему и кому-то другому.

Вот почему этот эксперимент так интересно повторить через 4 месяца. После того как ребенку исполнится полтора года, он, вероятнее всего, поведет себя совершенно иначе: решит дать вам то, что вам понравилось! Способность ребенка преодолеть собственное негативное отношение к лакомствам, которые так полюбились вам, и угостить вас именно ими показывает, что он начал осознавать, как думают другие. Понимать, что желания других могут не совпадать с его собственными, и делать вывод о том, что ваши желания основаны на эмоциях удовольствия и неудовольствия, которые вы выражали.

Это очень впечатляет, учитывая возраст малыша и то, с каким трудом дается понимание того, что у разных людей могут быть разные мысли, чувства и убеждения, даже более старшим детям. Только после пяти лет они начинают это понимать и действовать в соответствии с этим в большинстве жизненных ситуаций. (Да что дети: иногда это даже взрослые с трудом понимают. Спросите любого депутата.)

Как помочь ребенку

Хотя этот эксперимент и показывает, что ваш малыш уже способен проявлять сочувствие на базовом уровне, развитие в этом направлении ему предстоит еще очень серьезное. Не удивляйтесь, если он не сразу сможет поставить себя на место другого человека в более сложных жизненных ситуациях, сопряженных с конфликтами. Например, когда приходится делиться.

Детям так трудно делиться, в частности, потому, что они не могут посмотреть на ситуацию глазами другого. И доводы вроде «будь хорошим» и «тебе бы не понравилось, если бы с тобой поступили так же» действуют на него гораздо слабее, чем на вас.

Когда ребенок такой маленький, единственный способ решить неизбежную проблему необходимости делиться — отвлекать его. Переключите его внимание, пощекотав животик или подняв-опустив несколько раз; покажите другую игрушку, которой он мог бы поиграть; книжку, которую можно почитать вместе. Или предложите что-нибудь съесть.

Но по мере взросления ребенка к таким рутинным стычкам нужно начинать относиться как к возможности обучить его чему-то новому. Вот этапы решения проблем, способные помочь ребенку старшего дошкольного возраста справиться не только с конкретными ситуациями, в которых приходится делиться, но и с более серьезными проблемами в будущем.

- *Уберите предмет, который стал поводом для конфликта.* Это ослабит напряжение и поможет быстрее решить проблему.

- *Спросите детей, что случилось.* Не для того, чтобы определить виноватого, а чтобы у каждого было чувство, что его выслушали.

- *Отдайте должное чувствам каждого, озвучив их вслух.* «Наверное, ты рассердился из-за того, что она забрала у тебя игрушку» или «кажется, ты очень расстроился». Мы знаем, что это звучит слишком сентиментально и нарочито, но дети чувствуют себя лучше, когда знают, что их услышали и поняли. Это поможет разрядить обстановку и облегчит решение проблемы.

- *Спросите детей, как, по их мнению, можно решить проблему.* Вы не поверите, как часто им это удается лучше, чем вам: они предлагают приемлемые для себя решения, причем такие, которые вам не придут в голову. Или, что еще лучше, к этому моменту они уже забывают о стычке и переключаются на что-то другое. А это значит, что и вы можете.

Как помочь себе

Хотите справляться с проблемами вроде ссор из-за игрушек и прочего еще легче? Попробуйте дать ребенку именно то, чего он хочет. *Но в форме пожелания.* Вот в качестве примера наш диалог с трехлетней дочерью, которая ужасно рассердилась из-за того, что мы не разрешили ей спать с нами.

— Я знаю, как сильно ты хочешь спать с мамой и папой. Если бы я могла пожелать что угодно, я бы пожелала огромную кровать размером с целую комнату, на которой мы могли бы спать все вместе, — сказала Эмбер, изображая искренность.

— Но мы с мамой не можем пожелать что угодно, — подхватил Энди, изображая ужасное разочарование. — И поэтому на нашей кровати хватает места только маме и папе.

Может показаться, что это не должно бы сработать. Но сработало. Хотя и звучит идиотски. Да мы сами с трудом поверили, а ведь мы были главными героями этой сцены.

Но прежде чем высказать свое желание, мы показали дочери, что *понимаем*, как сильно она этого хочет. Дети желают, чтобы их выслушали, поняли и поддержали. И эта стратегия работает именно потому, что ощущение понимания со стороны родителей часто оказывается для ребенка более важным, чем то, что он хотел изначально.

Владение инструментами

14–24 месяца:
проверяем моторные навыки
и навыки решения проблем

Инструменты — великое изобретение. Они позволяют вешать картины, устранять протечки и вынимать батарейки из надоедливых музыкальных игрушек.

А еще с помощью инструментов можно развивать у детей моторные навыки и навыки решения проблем (конечно, когда малыши уже способны пользоваться ими без членовредительства).

Этот эксперимент позволит вам увидеть, насколько хорошо ваш ребенок умеет пользоваться инструментами, и станет еще одним аргументом в пользу того, что ему пока рано играть с дрелью.

ЧТО ВАМ НУЖНО

1. Ложка и еда для вашего ребенка.

2. Расческа.

3. Тот, кого ваш ребенок сможет кормить ложкой или расчесывать расческой, например кукла, мягкая игрушка, брат или сестра.

КАК ЭТО РАБОТАЕТ

В ходе этого эксперимента вы будете несколько раз подряд выполнять одну и ту же простую процедуру, что даст возможность заметить разницу в том, как ваш ребенок использует инструменты по отношению к себе и к другим. Его нужно разместить в удобном, но изолированном месте вроде высокого детского стульчика или коленей другого взрослого, и привлекать его внимание перед выполнением каждого задания.

Задание «Есть ложкой самому»

Возьмите ложку как обычно и со словами: «Смотри, что мы сейчас с этим сделаем!» — дайте ребенку немного еды.

Наберите в ложку еще немного еды и скажите: «А теперь попробуй ты».

Зажав ложку между большим и указательным пальцами, а не так, как держите ее обычно (чтобы не повлиять на действия малыша), передайте ложку ребенку и позвольте ему самому положить ее в рот.

Внимательно наблюдайте за поведением ребенка. Насколько уверенно он пользуется ложкой? Пришлось ли ему перекладывать ее в руке или он сразу взял ее правильно? Насколько быстро и эффективно он способен завершить действие?

Задание «Кормить с ложки другого»

Возьмите ложку как обычно и со словами: «Смотри, что мы сейчас с этим сделаем!» — притворитесь, будто даете воображаемую еду кукле, мягкой игрушке или брату (сестре).

Притворитесь, что набрали в ложку еще немного еды, и скажите: «А теперь попробуй ты».

Зажав ложку между большим и указательным пальцами, а не так, как обычно, передайте ее ребенку, чтобы он притворился, что кормит куклу.

Внимательно наблюдайте за поведением ребенка, как и раньше.

Задание «Расчесать себя»

Возьмите расческу как обычно и со словами: «Смотри, что мы сейчас с этим сделаем!» — покажите, как причесываетесь.

Закончите причесываться и скажите: «А теперь попробуй ты».

Зажав расческу между большим и указательным пальцами, а не так, как обычно, передайте ее ребенку и позвольте ему причесаться самостоятельно.

Внимательно наблюдайте за поведением ребенка. Насколько уверенно он пользуется расческой? Пришлось ли ему перекладывать ее в руке или он сразу взял ее правильно? Насколько быстро и эффективно он способен завершить действие?

Задание «Расчесать другого»

Возьмите расческу как обычно и со словами: «Смотри, что мы сейчас с этим сделаем!» — сделайте вид, что причесываете волосы кукле.

Закончите причесывать куклу и скажите: «А теперь попробуй ты».

Зажав расческу между большим и указательным пальцами, передайте ее ребенку, чтобы он тоже сделал вид, что причесывает куклу.

Внимательно наблюдайте за поведением малыша, как и раньше.

Ну что, заметили какие-то закономерности в том, как ваш маленький мастер пользовался своими инструментами? Есть большая вероятность, что ему легче было обращаться с ними, когда он кормил и расчесывал *себя*, а не *других*. Скорее всего, его движения были быстрее и эффективнее, ему реже приходилось менять захват, чтобы закончить начатое.

Для пользования инструментами человеку нужно сформулировать в голове план действий. Если он есть, вы сразу возьмете инструмент правильно. Поскольку вашему ребенку требовалось меньше перехватывать ручку или расческу, когда он кормил и причесывал себя, в этом случае план действий ему составить легче.

(А у вас в доме малыш может добраться до дрели, ножовки и суперклея? Если да, то это плохо.)

Этот эксперимент показывает: ваш малыш — уже опытный специалист по решению сложных проблем. Вы стали свидетелями того, что он ставит перед собой цель, составляет план ее достижения и понимает, как использовать для этого инструменты, которые у него есть. Просто так вышло, что поначалу ему это лучше удается, когда он сосредоточен на себе, а не на других.

Вероятно, это различие в следующие несколько лет станет еще заметнее. По мере того, как он будет приобретать опыт использования различных приспособлений и средств по уходу за собой, действия станут всё более автоматическими. Довольно скоро он будет брать расческу в руку *вообще не задумываясь*, и всё благодаря практике, которую получит, причесываясь. Именно поэтому те же действия, но в отношении другого *всегда* будут даваться ему тяжелее.

Если вы оказывались в ситуации, когда голова от забот идет кругом и не помнишь даже, принимал ли сегодня душ, а еще нужно наскоро привести в порядок голову ребенка, то поймете, что мы имеем в виду.

Как помочь ребенку

Если вам нужен веселый способ развить у ребенка навыки решения проблем, загляните в его ящик для игрушек.

В ходе одного исследования выяснилось, что дети, которые играют в более сложные игры, связанные с изучением нового — включая те, где нужно комбинировать разные игрушки, и те, где надо отыскать новые способы использования тех или иных предметов, — способны быстрее решать проблемы. Оно же показало, что мальчики, как правило, играют в более сложные объектно-ориентированные игры, чем девочки, и в целом показывают более высокие результаты.

Но эти гендерные особенности вовсе не значат, что мальчики от природы талантливее девочек в решении проблем. Скорее указывает на разницу в том, как они используют игрушки. У мальчика чаще, чем у девочки, есть такие универсальные и созидательные игрушки, как кубики и мячи, и они, как правило, играют ими более разнообразно. Этот дополнительный опыт, который они получают, на самом деле очень много значит, поскольку влияет на их способности пользоваться инструментами для решения различных задач.

Итак, если в доме есть веселые и универсальные игрушки, они доступны ребенку, вы играете с ним вместе, его игра будет более сложной и объектно-ориентированной, а также поспособствует развитию его навыков решения проблем — независимо от пола!

Как помочь себе

Думаете, этот эксперимент посвящен изучению первой попытки ребенка использовать инструменты?

Не тут-то было.

Ваш ребенок — уже большой специалист по использованию одного отличного инструмента: *вас.* (Да, это так. И что вы будете с этим делать?)

Вы первый инструмент ребенка, и в качестве такового он применяет вас примерно с шести месяцев. Прямо сейчас, например, он использует вас для открывания пакета с фруктовыми хлопьями или чтобы послушать слова, которые написаны в его любимой книге. Позже вы будете обеспечивать его деньгами на бензин и крышей над головой, пока он станет «искать себя» после окончания университета, а потом превратитесь в бесплатную няню для его детей — ваших внуков.

Так что вам остается наслаждаться временами, когда быть инструментом относительно легко!

Парные предметы

14–24 месяца:
проверяем развитие речи

Если вы похожи на большинство родителей, после появления ребенка у вас остается не очень много времени на себя. Вас меньше беспокоит состояние вашей прически, вы редко высыпаетесь, и у вас почти не получается заниматься спортом.

Этот эксперимент никак не облегчит вашу участь.

Зато он станет для вашего ребенка интенсивной тренировкой по изучению слов, благодаря которой его лексикон будет пополняться каждый день! Если вы повторите эти простые шаги несколько раз в ближайшие недели, то не просто научите своего малыша новым словам — вы научите его *запоминать* их!

ЧТО ВАМ НУЖНО

1. Пара предметов одинаковой формы, но как можно сильнее отличающихся другими характеристиками (скажем, размером, цветом, материалом и текстурой).

   Пример: маленькая синяя пластиковая вилочка и большая серебряная вилка.

2. Три дополнительные пары предметов, выбранных по тому же принципу: два мяча, две чашки, два кубика и т. д.

3. Четыре любые игрушки или предмета домашнего обихода — что угодно, лишь бы они *не* были аналогами выбранных вами парных предметов.

КАК ЭТО РАБОТАЕТ

Создайте привычную повседневную обстановку для игры с ребенком. Вы можете сидеть на полу или за столом, а малыш — на высоком стульчике.

Возьмите любые два из выбранных вами парных предметов (скажем, вилки) и играйте ими пять минут как обычно, с одним исключением: за это время вам нужно минимум десять раз повторить их название.

Вот несколько идей вам в помощь.

• Передавайте парные предметы друг другу («Вот *вилки*, возьми их! Можешь передать *вилки* папе?»).

• Прячьте парные предметы за спиной, а потом эффектно доставайте оттуда («Где же *вилки*? А, вот же они!»).

• Делайте вид, что парные предметы летают («*Вилки* летают!») или шагают по столу («А-а-а-а-а! *Вилки* живые!»).

• Используйте парные предметы в сочетании с другими игрушками («*Вилки* едут в вагоне»).

• Помещайте парные предметы в неожиданные места («У меня нос-*вилка*»).

• Включите фантазию и придумайте еще что-то! Вариантов бесконечно много.

Примерно в середине этой игровой сессии достаньте один из непарных предметов или игрушек. Покажите его ребенку и подчеркните, что он отличается от тех парных, с которыми вы играете («Это *не* вилка!»), отложите в сторону и продолжайте игру с парными предметами, пока не истекут пять минут.

Повторяйте шаги 2–3, пока не переиграете со всеми четырьмя парами предметов. Не обязательно, чтобы вы играли ими всеми подряд, — эксперимент можно растянуть во времени.

Отлично, все вы первоклассные, ориентированные на успех супермамы и суперпапы. Вы только что узнали, как помочь ребенку подготовиться к выпускным экзаменам в школе — притом что он еще горшком пользоваться не умеет! (Или *умеет*? Боже, какие вы стремительные!)

Лучших результатов можно добиться, если повторять этот эксперимент много раз в следующие несколько недель. Поскольку он проходит в игровой форме, это будет несложно. Главная проблема (учитывая, что мозги у родителей обычно немного набекрень) — не забыть о нем.

Так почему же в ходе эксперимента ваш ребенок научится запоминать слова? Ну, тут всё просто. Когда вы называете два разных предмета одним и тем же словом — например, «вилка», — ребенок инстинктивно пытается определить, что же делает их одним и тем же. Иными словами, он ищет в них *сходство*. В этом эксперименте вы максимально облегчили ему задачу, показав две совершенно *разные* вилки. Общая у них только *форма*. Поэтому он запоминает, что «вилка» предполагает вилообразную форму.

Одновременно с этим он знакомится с тремя другими парами предметов (скажем, мячами, чашками и кубиками) и узнает, что их *тоже* называют так из-за формы. Да, так и есть. «Мячи» имеют форму мячей, «чашки» — чашек, «кубики» — кубиков. Обобщив весь полученный в ходе эксперимента опыт, ребенок понимает, что есть общее правило, которое гласит «_____ имеет форму _____», или что названия предметов определяются формой.

И еще ваш маленький умник теперь точно знает, на что обращать внимание, когда запоминаешь название предмета!

Преподав ребенку столь важный урок обучения новым словам, можете ожидать впечатляющих результатов. Он быстрее запомнит не только эти слова, но и те, которым вы его не учили. И что в итоге? Его словарный запас будет расти не по дням, а по часам, и вы оглянуться не успеете, как он будет готов сдавать вступительные экзамены в университет — примерно на пятнадцать лет раньше, чем принято!

Как помочь ребенку

Еще один важный аспект, который делает этот эксперимент столь эффективным для обучения вашего ребенка, — использование сравнения и противопоставления. Малыш *сравнивает* пару одинаково называющихся предметов, чтобы понять, что в них общего, и *противопоставляет* их тому, который вы показываете ему в середине игровой сессии и который называется совсем иначе, чтобы понять, в чем их различия.

Именно использование этих двух методов помогает ребенку запоминать больше слов, причем гораздо быстрее.

Например, если играть с малышом сегодня маленькой синей пластиковой вилочкой, а завтра — большой серебряной вилкой, он тоже запомнит слово «вилка». Но ему понадобится больше времени на то, чтобы понять, что «вилка» имеет вилообразную форму, поскольку вы не фокусировали его внимание на самых важных деталях. Ребенок мог бы получить подсказку, что форма предмета чрезвычайно важна для его названия, а вместо этого вынужден держать в голове *все* случаи, когда он сталкивался с вилкой, и пытаться анализировать самостоятельно, что в них общего и что разного.

Исследования показывают, что сравнение и противопоставление помогают детям изучать много нового, в том числе существительные, прилагательные, способы решения математических задач, использование аналогий (всего не перечесть). Поэтому лучше применять сравнение и противопоставление в повседневных игровых ситуациях. Например, если вы хотите объяснить ребенку, что такое размер, можно показать ему маленький стульчик и маленькую мышку и сказать: «Смотри, они оба маленькие!» Можно также противопоставить два предмета, которые отличаются только тем свойством, которому вы обучаете ребенка. Покажите ему большую и маленькую чашки и скажите: «Эта чашка — большая, а эта — маленькая». Используйте этот метод для объяснения ребенку чего угодно: от названий предметов, которые он учит сейчас, до методов решения математических задач, которые он будет изучать очень скоро!

Как помочь себе

Теперь, когда ваш ребенок овладел техникой сравнения и противопоставления, у *вас* появился новый способ занять его, чтобы выкроить несколько драгоценных минут на себя. В следующий раз, когда малыш не захочет отпускать вас вздремнуть минутку, оплатить счета или поговорить наконец-то с кем-то взрослым, попробуйте следующее.

Посмотрите на любую игрушку, книгу, предмет домашнего обихода или тот мусор, который ребенок принес вам показать, и скажите: «Ух ты! Ты нашел _____! Можешь пойти поискать *другой* _____?» Его восторг по поводу вновь обретенной способности сравнивать предметы заставит его радостно искать пару тому, на что вы указали, а вы в это время сможете заниматься своими делами.

Когда он вернется с победой, поздравьте его с этим достижением, а потом дайте следующее задание, на этот раз основанное на противопоставлении: «У тебя зеленый _____. Можешь найти розовый _____?» Еще немного времени «на себя» в вашем распоряжении.

Эту игру можно продолжать сколь угодно долго. Она на пользу словарному запасу вашего ребенка — и вашей психике!

ЭКСПЕРИМЕНТ № 20

Быстрое обучение

15–24 месяца:
проверяем развитие речи

В предыдущем эксперименте вы познакомились с эффективным методом использования полного потенциала обучения словам, который заложен в мозге ребенка. Велика вероятность того, что сейчас это дается ему очень хорошо. А скоро будет даваться еще лучше.

Этот эксперимент благодаря простому упражнению на счет покажет, готов ли ваш будущий болтун учить новые слова *немедленно*.

ЧТО ВАМ НУЖНО

Для части 1: то, чем вы привыкли делать записи (бумага и ручка, компьютер и приложение для заметок, фломастер и клочок бумаги).

Для части 2: набор из четырех специально отобранных предметов — подробности см. на с. 110

КАК ЭТО РАБОТАЕТ

Часть 1

Выясните, сколько слов ваш ребенок говорит на сегодняшний день. Чтобы слово попало в список, он не обязательно должен произносить его идеально. Вполне нормально, если оно сокращено до одного слога (вроде «ко» вместо «кот» или «ба» вместо «банан»), представляет собой повторение слогов (вроде «пипи» вместо «планшет») или даже это какие-то неприличные звуки. Включайте в список все, что ребенок считает словом.

Для кого-то подсчет слов, которые произносит ребенок, окажется легким делом, для кого-то нет. Если вы похожи на нас (ну, скорее на Эмбер), вы будете записывать каждое его новое слово в ежедневник, сопровождая детальнейшим комментарием. Тогда эта фаза эксперимента будет для вас очень проста: достаточно открыть ежедневник и подсчитать слова, которые уже говорит ваш малыш.

Если же вы *не* помешаны на анализе развития речи, придется вспомнить все слова, которые вы слышали от ребенка. Знаем, это кажется невозможным. Но исследования показывают, что первые слова ребенка обычно попадают в несколько предсказуемых категорий.

- *Имена*: членов семьи, друзей и домашних любимцев.

- *Названия животных*: кошка, собака, персонажи детских песенок.

- *Звуковые эффекты и имитация «речи» животных*: «врр» для машин, «авав» для собак.

- *Названия продуктов*: молоко, виноград, макароны с сыром.

- *Домашняя утварь*: простыня, ложка, миска.

- *Игрушки*: мяч, книга, телефон.

- *Транспортные средства*: автомобиль, грузовик, велосипед.

- *Мебель и комнаты*: кровать, стул, кухня.

- *Глаголы*: спать, есть, пить, гулять, какать.

- *Прилагательные*: большой, пустой, липкий, невкусный.

Пройдите по списку категорий, подумайте некоторое время над всеми связанными с ними словами, которые вы могли слышать от ребенка, и запишите их. (Помните, *даже попытка* засчитывается!) А потом подсчитайте их.

Часть 2

Подумайте, названий каких небольших предметов в доме может не знать ваш ребенок: ободок для волос, щипцы, веник, пуговица, диадема, ложка-вилка, пинцет, резинка, те проволочные штуковины, которые не дают раскрываться пакету с хлебом, и т. д. Главное, чтобы ребенок точно *не* знал их названий. Тогда вы сможете посмотреть, выучил ли он эти слова в ходе эксперимента. Подберите четыре предмета в соответствии со следующими критериями.

- *Главный объект*: предмет, название которого вы скажете ребенку, после чего попросите выбрать похожий (пример: большая серая металлическая лопатка).

- *Правильный выбор*: предмет, который действительно похож на «главный объект». Он должен быть такого же типа, но отличаться какими-то свойствами, скажем размером, цветом или материалом (пример: маленькая черная пластиковая лопатка).

- *Неправильный выбор*: предмет, который будет выполнять роль подсадной утки, совпадая с главным объектом по размеру, цвету или материалу, но отличаясь от него типом (пример: большая серая металлическая метелка).

- *Дополнительный выбор*: любой предмет, чтобы увеличить количество вариантов, доступных ребенку (пример: кухонная спринцовка).

Сядьте за стол напротив ребенка, положив четыре отобранных предмета в корзину на стул рядом с собой так, чтобы он их не видел.

Достаньте главный объект, положите его на стол перед ребенком и назовите. Например, если это большая металлическая лопатка, вы говорите: «Это лопатка». Ничего страшного, если ребенок возьмет предмет в руки. Нужно подождать, пока он положит его обратно или позволит забрать у него без слез и протестов, прежде чем переходить к следующему шагу. Если пройдет больше нескольких секунд, прежде чем это произойдет, снова назовите предмет: «Это лопатка».

Одновременно достаньте все три оставшихся предмета и положите в ряд перед ребенком. Главный объект тоже должен оставаться на виду, но несколько в стороне, дальше от малыша.

Попросите ребенка определить, какой из предметов называется так же, как главный объект. В нашем примере вы бы сказали: «Можешь дать мне другую лопатку?»

Смотрите, какой предмет выберет ваш ребенок — прикоснувшись, указав на него, взяв его в руки или просто задержав на нем взгляд.

Мы знаем, что вы сейчас думаете: «Позвольте, но эти две части эксперимента никак не связаны между собой! Вы хотите, чтобы мы считали слова, которые говорит наш ребенок, просто чтобы нас занять?»

На самом деле эти два вроде бы отдельных занятия *связаны* между собой! Да, исследователи обнаружили связь между словарным запасом ребенка (который вы выяснили в части 1) и его способностью выучить новое слово (которую вы проверили в части 2).

Похоже, для многих детей есть что-то мистическое в словаре, состоящем из 50 слов. Прежде чем он выучит первые 50 слов, они добавляются в его словарь очень медленно. Он скажет новое слово, а потом пройдет несколько дней — или даже недель, — и только тогда появится следующее. Если в части 1 эксперимента выяснилось, что ребенок может говорить меньше 50 слов, скорее всего, он с меньшим успехом выберет правильный вариант в части 2.

Однако к тому моменту, когда словарный запас вашего ребенка преодолеет порог из 50 слов, он научится их запоминать, и теперь это будет даваться ему гораздо легче. Слушайте внимательно — и сможете заметить, как юный гений говорит сразу по несколько новых слов в день. Психологи называют эту вновь обретенную способность «словесным спуртом». А еще «бумом именования». А иногда «взрывным ростом словарного запаса». Короче, практически любым словосочетанием, обозначающим «значимую единицу языка» плюс «внезапный мощный выброс энергии». Вот еще несколько терминов, которые мы придумали только что: «вспышка высказываний», «голосовая детонация», «недержание слов». Так что выбирайте сами.

В общем, как бы вы ни назвали этот феномен, именно он становится причиной того, что, если словарный запас вашего ребенка перевалил хотя бы за полсотни слов в части 1, он, скорее всего, немедленно выберет правильный ответ в части 2.

И дело не ограничивается тем, что он сразу выучил слово. Он может его вспомнить через несколько недель. А еще правильно использовать в ситуациях, очень сильно отличающихся от той, в которой оно было выучено. Скажем, вы показываете на черепаху в зоопарке и называете ее «черепахой», а ребенок понимает, что так называется не только это конкретное животное, но и другие ему подобные: черепаха в парке, пластмассовая игрушечная черепаха, изображение черепахи в книге.

Очень впечатляющий результат, маленький недержатель слов! Нет, правда очень впечатляющий!

Как помочь ребенку

У современных родителей обычно в голове наготове целый список того, чему *нужно* немедленно начинать учить наших детей. Обычно он выглядит примерно так: названия животных, звуки, которые те издают (хотя никто не знает, почему это так важно в наши дни), геометрические фигуры, цвета, цифры, буквы, периодическая система химических элементов... список можно продолжать, дойдя до университетской программы.

Из этого списка особенно трудно детям даются цвета. Чтобы заметить цвет, ребенку приходится игнорировать остальные интересные свойства предмета: форму, назначение, легкость разборки на части и разбрасывания их по всей гостиной... Вот почему так велик разброс возраста, в котором дети обычно запоминают цвета: от полутора до трех лет.

Вот несколько подсказок, которые помогут вашему ребенку справиться с цветами.

- *Знакомьте ребенка сразу со многими названиями цветов.* Исследования показывают, что малышам легче учить цвета, когда им называют сразу много обозначающих их слов, чем когда ограничиваются парой названий «для начала».

- *Занятия должны быть короткими.* Дети учатся лучше, когда нагрузка распределена. Поэтому вместо одного длинного интенсивного занятия по изучению цветов проведите в течение дня несколько коротких.

- *Меняйте контекст.* Дети усваивают информацию лучше, когда обучение проходит в разных местах. Разговаривайте о цветах за кухонным столом, в парке, на парковке супермаркета, читая книгу.

- *Сравнивайте и противопоставляйте.* Сравнивайте предметы одного цвета и противопоставляйте предметы разных цветов.

Как помочь себе

Если вы еще не исключили из лексикона крепкие выражения, которыми так искусно овладели в те далекие времена, когда у вас не было детей, сейчас пора сделать это.

Ваш ребенок слышит всё, что вы говорите. Теперь вы выяснили, что он и запоминает всё, что слышит. А это значит, что рано или поздно он повторит все, что запомнил, своей воспитательнице в детском саду. Вы же не хотите, чтобы она звонила вам по этому поводу?

Отлично выглядишь!

15–24 месяца:
проверяем социальные навыки

Если вы из числа среднестатистических родителей, то показывали своему ребенку его отражение в зеркале раз или два. (Если же вы фотомодель, ваш ребенок наверняка смотрелся в маленькое зеркальце еще в утробе матери.)

Но что на самом деле думает малыш, видя свое отражение? Кто это, дружелюбный соседский ребенок, который постоянно приходит поиграть в вашу ванную? Или это... я?

Именно на этот вопрос и ответит следующий эксперимент.

ЧТО ВАМ НУЖНО

1. Большое зеркало.

2. Помада.

КАК ЭТО РАБОТАЕТ

Не объясняя ребенку, что вы делаете, мазните его по носу помадой. Она (или какая-нибудь другая краска для лица, если вы не любитель помады) должна быть красной или коричневой, в общем, темной. Иными словами, должно быть *абсолютно очевидно*, что на носу у ребенка — огромный мазок краски.

Поставьте ребенка перед зеркалом. У нас отличным местом для эксперимента оказался туалетный столик в ванной. Но если вы из тех родителей, которые боятся падения ребенка с высоты на твердый кафельный пол, вам, пожалуй, больше подойдет напольное зеркало в устланной коврами комнате.

Понаблюдайте за тем, что будет делать ребенок.

Ваш ребенок (тот самый, чей нос только что стал цвета кирпичной стены), скорее всего, отреагирует одним из двух способов.

Он может повести себя так, как если бы хотел потрогать свое отражение или поиграть с ним. Значит, он считает отражение кем-то другим, не собой. Это абсолютно нормальная реакция для ребенка примерно до полутора лет. Она связана с тем, что мы не рождаемся со способностью узнавать себя, а приобретаем ее с течением времени.

И когда эта способность у ребенка появляется, он начинает реагировать на эксперимент совсем иначе. В частности, понимает, что жирная отметина, которую он видит на лице малыша в зеркале, на самом деле находится на носу у него самого. И поскольку он также знает, что этого пятна на носу быть *не* должно, он протягивает руку *к своему носу* — видимо, чтобы попытаться убрать пятно!

Способность узнавать себя удивительна тем, что, похоже, становится неотъемлемым и важным этапом человеческого развития. Вне зависимости от пола, внешнего вида и места проживания способность узнавать свою внешность приходит в возрасте примерно полутора лет. Даже дети, принадлежащие к культурам, в которых не используются зеркала, начинают узнавать себя в это же время.

Эксперименты на животных показали, что представители некоторых особенно высокоорганизованных видов — вроде дельфинов и шимпанзе — тоже могут узнавать себя. А менее умные тоже? Нет, вряд ли. Так что считайте важной вехой развития своего ребенка момент, когда он перестает интересоваться зеркалом и начнет тянуться к собственному носу: в этот момент он официально становится умнее вашей собаки!

Как помочь ребенку

Если вы поставите ребенка перед зеркалом и не заметите признаков того, что он узнал в отражении себя, то можете задаться вопросом: как помочь ему поскорее понять, что в зеркале — он? Может показаться, что это просто. Отражение делает точно то же, что и ребенок, в это же время. Но сколько бы вы ни говорили: «Смотри, это ты! Смотри, это ты!» — это не поможет.

А еще не стоит тратить время, раз за разом проводя эксперименты с зеркалом, чтобы точно определить момент, когда ребенок узнает в отражении себя. Если вам не терпится увидеть, что непонимание сути зеркала уступило место готовности прихорашиваться перед ним, достаточно слушать то, что малыш говорит.

Способность узнавать себя, как правило, совпадает с изменением словаря. В тот момент, когда ребенок уже видит себя в зеркале и на фотографиях, он начинает использовать личные местоимения. Поэтому, если вы услышите от него слова вроде «я», «мой», «мне», можете попробовать снова поставить его перед зеркалом: есть шанс, что в этот раз он пройдет тест с раскрашенным носом!

Если прислушиваться к тому, как меняется словарный запас ребенка, можно многое понять о том, как развиваются его навыки. Например, дети завершают осознание концепции постоянства объекта примерно в то же время, когда начинают использовать слово «ушел»; учатся решению проблем, состоящему из множества этапов, когда запоминают слова «там» и «ой»; приобретают способность находить объект среди нескольких и одновременно выучивают слово «середина». Поэтому, если хотите быть в курсе того, что происходит в головке малыша, прислушивайтесь к тому, что он говорит.

Как помочь себе

По окончании эксперимента сотрите пятно с носа ребенка. В конце концов, он только через несколько лет осознает, насколько эта процедура дурацкая. Так что пользуйтесь моментом.

Малыш йо-йо

2 года:
проверяем физическое развитие

Прежде чем продолжить, мы хотим, чтобы вы встали перед зеркалом, посмотрели себе в глаза и повторили за нами:

— У меня двухлетний ребенок.

Звучит безумно? Так тяжело понять, как эти двадцать четыре месяца могли пролететь так быстро, и при этом вам уже сложно вспомнить, какой была жизнь до рождения ребенка.

Этот эксперимент поможет вам отправиться в прошлое и увидеть, как рос ваш малыш в последние два года, при этом поняв, что этот рост не был *таким уж* стабильным.

ЧТО ВАМ НУЖНО

Фотографии ребенка (найдется парочка?).

КАК ЭТО РАБОТАЕТ

Соберите фотографии малыша с момента его рождения. Идеально подойдет фотоальбом, в котором задокументирован его рост месяц за месяцем. (Хотя более реалистичная альтернатива — жесткий диск с кучей неразобранных снимков.)

Разложите фотографии в хронологическом порядке, обращая особое внимание на те периоды, когда ваш ребенок казался скорее *пухленьким* — с круглыми щеками и животиком.

Посмотрите, удастся ли найти периоды, где эти снимки соседствуют с теми, на которых малыш выглядит скорее *выше* и *тоньше*.

По мере того, как росла наша дочь, мы не раз замечали, что временами она казалась худышкой. А порой возникало ощущение, что она прибавила пару лишних килограммов. На одной из отпускных фотографий у нее даже проявился «тройной подбородок» (хотя одна из складок явно стала следствием гримасы, которую она состроила в тот момент, как будто говоря: «Поверить не могу, что сижу тут рядом с Сантой в торговом центре»).

Спустя некоторое время мы заметили закономерность: дочь выглядела пухленькой *непосредственно перед тем*, как начинала казаться заметно более высокой и тонкой. Было похоже, что ее маленькое тело какое-то время накапливало жирок, чтобы внезапно избавиться от него в обмен на увеличение роста, причем сразу на несколько сантиметров.

Как оказалось, именно так все и происходило. Вы тоже сможете заметить этот феномен, тасуя фотографии своего малыша!

Когда дети проходят периоды бурного роста, вполне нормальной считается ситуация, что они вначале набирают вес, а потом резко вырастают. И поскольку к двум годам ваш ребенок прошел уже несколько периодов бурного роста, сейчас пора оглянуться и проверить, сможете ли вы их заметить.

Кроме того, зная, что искать, вы сможете наблюдать его рост в режиме реального времени и пытаться предсказать моменты, когда он вот-вот станет выше. Может, даже ситуации с внезапно «уменьшившейся в размере» обувью не будут заставать вас врасплох.

Может быть.

Как помочь ребенку

Еще один способ предсказать период ускоренного роста — наблюдать за изменением режима сна малыша. Исследования показывают, что в периоды ускоренного роста детям нужно больше спать — как ночью, так и днем. Похоже, вы были бы не против *постоянного* периода бурного роста?

Вообще достаточное время сна очень важно для физического роста и развития мозга ребенка. Специалисты заметили, что с недосыпанием ассоциируются такие симптомы, как быстрая утомляемость, раздражительность, снижение концентрации внимания и способностей к обучению, проблемы с поведением. В ходе некоторых исследований выявлено, что недосыпание может приводить к появлению симптомов синдрома дефицита внимания и гиперактивности.

Причем, чтобы возникли тяжелые последствия для развития вашего ребенка, дефицит сна не обязательно должен быть большим. В одном из исследований случайным образом выбранным детям в возрасте от 9 до 11 лет предложили ложиться или на час раньше или на час позже обычного в течение всего трех дней подряд. Затем они прошли серию тестов на когнитивные способности. Каковы результаты? Дети, которые спали меньше, показали худшее время реакции и способности к запоминанию и обучению. Уменьшение времени сна даже на час может сказаться на результатах обучения в школе.

Но сколько именно должен спать ваш ребенок? Исследователи проанализировали динамику сна сотен детей и рассчитали следующие средние величины нормальной продолжительности сна в зависимости от возраста ребенка:

- до года: 14 часов, в том числе 3 часа днем;
- 1 год: 13 с половиной часов, в том числе 2 часа днем;
- 2 года: 13 часов, в том числе 2 часа днем;
- 3 года: 12 с половиной часов, в том числе 2 часа днем;
- 4 года: 12 часов;
- 5 лет: 11 с половиной часов;
- 6 лет: 11 часов;
- 7–8 лет: 10 с половиной часов;
- 9–10 лет: 10 часов;
- 11 лет: 9 с половиной часов;
- 12–14 лет: 9 часов;
- 15 лет: 8 с половиной часов;
- 16 лет: 8 часов.

Имейте в виду, что индивидуальное время сна может сильно отличаться от указанных здесь средних значений, поэтому не стоит слишком беспокоиться, если ваш ребенок не идеально соответствует описанной модели. Постарайтесь удостовериться, что он спит достаточно, следя за его поведением и экспериментируя с графиком сна, чтобы подобрать оптимальный. И старайтесь его придерживаться. Важно, чтобы ребенок отправлялся в постель в одно и то же время: если он ложится то раньше, то позже, это может сломать его суточный биоритм и привести к проблемам в поведении.

Если у вас в семье есть проблемы со сном, попробуйте выработать определенные ритуалы отхода ко сну как ночью, так и днем. Предсказуемая последовательность действий, которые совершаются перед тем, как ребенок отправляется в постель, будет ему сигналом, что пришло время успокоиться и отдохнуть.

В нашей семье ритуал засыпания для малыша включает следующие шаги:

- смена подгузника;
- поцелуй от папы и старшей сестры;
- кормление грудью и укачивание от мамы;
- колыбельная.

Ритуал засыпания для старшего ребенка таков:
- горшок;
- чистка зубов;
- чтение книги;
- рассказывание истории «из головы»;
- колыбельная.

Как помочь себе

Хотя это и очень соблазнительно, пожалуйста, не пытайтесь оправдать собственные круглые щеки и живот рассказами о том, что *вы* находитесь на пороге периода бурного роста. Никто на это не купится.

Зато поверят в искреннее признание: вы воспитываете двухлетнего ребенка, и поэтому время на спорт у вас появится всего через каких-нибудь шестнадцать лет.

ТРЕТИЙ ГОД И СТАРШЕ

РАСТЕТ ВАШ РЕБЕНОК — растут и его способности.

К двум годам он уже многое может делать хорошо: бегать, прыгать (после того как наконец научится одновременно отрывать от земли *обе* ноги) и болтать практически обо всем. А еще работать над гораздо более сложными проектами: складывать пазлы, считать, выдумывать сложные истории и оттачивать навыки переговоров, которые могли бы посрамить сотрудников автосалона.

Поэтому вам наверняка будет интересно узнать, чего же ваш маленький гений еще *не может*.

Иногда, глядя на то, как быстро учатся новому дети, мы ошибочно ожидаем от них большего, чем они могут. Возможно, вам покажется, что многие тесты в этом разделе ваш ребенок пройдет без проблем. Но вы увидите, что этот умник, который обычно легко решает сложные задачи (например хитростью добивается того, чтобы вы прочли ему лишнюю историю перед сном), вдруг оказывается не в состоянии найти решение простейшей задачи: скажем, определить, получил ли он справедливую долю десерта.

Вооружившись по итогам экспериментов информацией о сильных и слабых сторонах вашего ребенка, вы сможете точнее определять, когда ожидаете от него слишком многого — то есть в каких случаях ему действительно может потребоваться ваша поддержка.

Возможно, ваш малыш растет очень быстро, но эти эксперименты показывают, как сильно он в вас нуждается и как важна ваша роль в развитии мышления малыша, его навыков решения проблем и приобретения новых знаний. Именно от поведения родителей зависит то, как он будет мыслить, когда станет взрослым.

И эти эксперименты помогут вам подготовить его к успеху.

Спасибо, достаточно

2–6 лет:
проверяем навыки решения проблем

Ваш ребенок — просто чудо.

Дня не проходит, чтобы он не удивил вас чем-то новым: умением рисовать улыбающиеся лица, употреблять слово «наконец-то», самостоятельно надевать брюки.

Конечно, случаются и моменты, когда он ведет себя так глупо, что вам приходится откладывать в сторону буклет об *очень раннем* поступлении в университет и напоминать себе: ваш ребенок — всего лишь ребенок.

Этот эксперимент — как раз для одного из *таких* моментов. Но хотим предупредить сразу. То, что сделает ваш вроде бы разумный обычно малыш, не просто удивит вас. Это взорвет ваш мозг!

ЧТО ВАМ НУЖНО

1. Стол.

2. Три печенья (если есть подозрение, что сами ненароком съедите одно из них, лучше приготовьте четыре).

КАК ЭТО РАБОТАЕТ

Сядьте за стол напротив ребенка, положив два печенья перед собой, а одно — перед ребенком.

Спросите его: «У кого больше печенья: у меня или у тебя? Или поровну?»

Поскольку ваш ребенок гений, он должен ответить, что больше у *вас* (и это явно несправедливо).

На глазах у ребенка протяните руку, возьмите его печенье, разломите на две половины и положите их перед ним.

Спросите: «А *теперь* у кого больше печенья: у меня или у тебя? Или поровну?»

Ух ты, да? (А мы предупреждали, что это взрыв мозга.)

Хотя ваш обычно очень разумный малыш видел, как вы ломаете его единственное печенье на две половины *прямо у него перед носом*, он, скорее всего, ответил, что сейчас у вас печенья поровну. И был очень рад этому, кстати!

Не стесняйтесь, совершите победную пробежку вокруг комнаты, если вам этого хочется. Вы обнаружили не только способ экономить половину расходов на сладкое, но и отличный новый фокус для вечеринок. И если хотите продлить удовольствие от эксперимента, то снова протяните руку и разломите одну из половинок печенья ребенка пополам так, чтобы теперь оно оказалось разделенным на *три* части. Если ваш малыш радовался на первой стадии эксперимента, то теперь будет считать, что у него *больше* печенья, чем у вас, — и почувствует себя так, как будто выиграл джекпот! В этот восхитительный момент эксперимента наша дочь Сэмми продолжила ломать свое печенье на все более мелкие части, радостно вопя: «И еще больше! И еще!» А что, не каждый день удается получить столько десерта, сколько хочется!

Реакция вашего ребенка на этот тест вполне типична: дети в этом возрасте легко попадают в ловушку, когда дело касается количества объектов. Но почему они совершают эту ошибку?

На самом деле это следствие *двух* особенностей мышления, свойственных детям младше семи лет. Во-первых, они могут сосредоточиться только на одном аспекте ситуации едино-временно (в нашем случае это количество кусочков печенья у каждого из вас) и поэтому не в состоянии принять во внимание другие важные детали (вроде того факта, что две его половинки занимают на тарелке гораздо меньше места, чем два ваших целых). Вторая особенность: неспособность осознать, что, хотя внешность объекта изменилась, он сохранил одно из своих важнейших свойств — объем.

Эти особенности мышления не уникальны для данного эксперимента и проявляются во многих ситуациях. Покажите ребенку два одинаковых стакана воды, а затем перелейте воду из одного из них в более широкий и низкий контейнер — и он решит, что там воды гораздо меньше, чем в стакане. Покажите ему два одинаковых комка глины, а потом раскатайте один из них в длинную колбаску, — и ребенок решит, что в ней больше глины, чем во втором коме. Покажите ему два одинаковых ряда монет, а затем разложите монеты в одном из них более разреженно, — и он решит, что в этом ряду монет больше, хотя может легко их сосчитать!

Со временем ваш ребенок перестанет совершать такие ошибки и станет мыслителем более высокого класса, способным держать в голове множество аспектов объекта и оперировать ими для решения задач. Его больше не удастся одурачить, ломая печенья на части: он будет принимать во внимание не только их количество, но и совокупный объем. Он будет понимать, что определенные свойства объекта сохраняются даже тогда, когда меняется его внешний вид. Его мышление станет более гибким, и при поиске обоснованного решения он начнет руководствоваться собственной логикой.

Так что будьте осторожны: с этого момента в ответ на ваше «потому что я так сказал» вам могут привести разумный и совершенно логичный аргумент о том, почему ваш довод совершенно неубедителен. Начинайте готовить контраргументы!

Как помочь ребенку

Вы можете спросить: «Стоит ли объяснить ему суть происходящего, чтобы он понял и больше так не ошибался?» Обычно на такой вопрос отвечают просто: «Не-а». Вы не можете дать ребенку несколько коротких уроков и ускорить процесс его интеллектуального развития. Для этого нужно время, поскольку всё зависит от возраста и от опыта взаимодействия как с людьми, так и с предметами в естественной обстановке.

Хотя в *этом* конкретном случае вы *можете* научить его — при определенных обстоятельствах. Исследователи выявили рамки, в которых дети открыты для обучения с помощью инструкций. Чтобы понять, попадает ли в эти рамки ваш ребенок, вам придется еще раз провести этот эксперимент. После того как малыш ответит на ваш вопрос по поводу количества печенья, спросите его, *почему он так думает.* А во время ответа следите за его жестикуляцией.

Когда дети говорят о количестве, их речь и жесты обычно эволюционируют предсказуемо.

- Если дети *не понимают,* что количество объектов остается постоянным несмотря на изменение их внешнего вида, их вербальная коммуникация и жестикуляция согласуются друг с другом. Например, ребенок мог бы сказать вам что-то вроде: «Потому что у нас их по два», и при этом жестом показать на свои две половинки и ваши два целых печенья.

- Когда дети находятся *на грани понимания* (обычно в районе шести лет), можно заметить рассогласованность вербальной коммуникации и жестикуляции. Например, ребенок может сказать вам: «Потому что у нас их по два», — и при этом изобразит руками, как ломает печенье пополам. В этом случае его речь и жесты говорят о разном. В словах проявляется непонимание разницы между вашими двумя целыми печеньями и его половинами, а жесты показывают, что он отметил, как вы разломили его единственное печенье пополам.

- И, наконец, когда дети *понимают,* их вербальная коммуникация и жестикуляция согласуются друг с другом. Например, ребенок мог бы сказать вам что-то вроде: «У тебя больше, потому что ты только что разломил мое пополам», — и при этом жестом показать, как ломает печенье на две половины.

Когда слова и жесты вашего ребенка рассогласованы, он находится в переходном периоде. Отчасти он понимает суть проблемы, хотя и не может пока сформулировать ее. Именно в этот момент он максимально открыт для инструкций. Воспользуйтесь этой возможностью и обратите внимание ребенка на *все* важные аспекты печенья — а не только на то, что у вас обоих по два кусочка. Так вы поможете ему понять, что, хотя его печенье и стало выглядеть иначе, его количество не изменилось. (Хотя мы не понимаем, зачем вам это нужно. Послушайте, он хочет съесть только *половину* печенья! Радуйтесь этому и перестаньте задавать вопросы!)

Отмечать рассогласованность речи и жестикуляции можно в разных ситуациях, не обязательно связанных с десертом. Оказывается, при решении многих проблем дети выдают свои знания жестами раньше, чем могут сознательно сформулировать их. Считайте это сигналом к тому, что ребенок готов учиться, и реагируйте соответственно.

Как помочь себе

Большинство детей с удовольствием едят десерт. А как насчет ужина? Если вы имеете дело с любителем фиников, обратите ошибки его психики в свою пользу! Изменив внешний вид пищи, которую не хочет есть ваш ребенок, вы можете убедить его в том, что тарелка полупуста, — и ему легче будет справиться с едой.

Если малыш не любит молоко, попробуйте налить его в более широкую чашку.

Если он отказывается от картофельного пюре, попробуйте придать ему другую форму.

Если возражает против горошка, сдвиньте горошины ближе друг к другу.

А если и после этого ребенку понадобится дополнительный стимул, пообещайте: если он будет хорошо кушать, то после ужина получит двойную порцию печенья на десерт!

(Ну вы поняли, да?)

Шаблонное мышление

2,5–4 года:
проверяем социальные навыки

Говорят, быть родителем — неблагодарная работа. Но и она не сравнится с горькой долей мультяшных персонажей телевизионной рекламы детского питания. Похоже, дети совсем не уважают голодного кролика, отказывающегося от завтрака, потому что тот только «для детей», или эльфа, беззастенчиво *крадущего* вашу разноцветную баночку.

Но, возможно, это не их вина.

В ходе следующего эксперимента при помощи простой упаковки детской каши вы убедитесь в том, что ваш ребенок обычно думает только о себе, поскольку *еще не может* думать о ком-то другом.

ЧТО ВАМ НУЖНО

1. Коробка от каши.

2. Что-то неожиданное, чтобы в нее положить.

КАК ЭТО РАБОТАЕТ

Убедившись, что вас не видит ребенок, извлеките пакет с кашей из коробки и положите на его место какой-нибудь неожиданный предмет. Использовать можно что угодно — главное, чтобы ребенок не ожидал увидеть это в коробке из-под каши. Вполне подойдут карандаши, мячик или ваш школьный дневник.

Покажите коробку ребенку и спросите его: «Как ты думаешь, что тут?» Он ответит: «Каша». Если не ответит, возьмите другую коробку, которую он сможет узнать, или отправляйтесь прямиком на прием к офтальмологу, чтобы проверить его зрение.

Откройте коробку и покажите ребенку, что там на самом деле.

Положите неожиданный предмет обратно в коробку и попросите ребенка представить, что к нему пришел его лучший друг. А затем спросите: «Как ты думаешь, а твой друг сказал бы, что в коробке... что?»

Вы точно знаете: лучший друг, если только он не обладает рентгеновским зрением, сказал бы, что в коробке каша. Но ваш-то малыш, скорее всего, ответил иначе, верно? Дети до четырех лет почти всегда считают, что их друзья назовут *неожиданный предмет*, хотя и не имеют никаких причин ожидать увидеть там что-то кроме каши. Ребенок отвечает так, поскольку сам знает, что в ней, и не способен отделить свое знание от знания друга.

В этом возрасте малыш не может смотреть на мир глазами других — в переносном смысле. Но знаете что? Он и в буквальном смысле не может этого. Однажды исследователи создали большую трехмерную декорацию, изображавшую гору, которая с разных сторон выглядела по-разному: скажем, с одной стороны там были коза и сосна, с другой — дом и собака. Дети осмотрели гору со всех сторон, потом сели с одной стороны, а экспериментатор — с другой, и стали отвечать на его вопросы. Когда он спросил: «Что вы видите?» — все дошкольники ответили правильно, но когда он задал вопрос: «А что вижу я?» — те из детей, кто еще не понял, что у других людей может быть иной психический опыт, чем у них, ответили, что он видит то же самое, что и они (зная при этом, что у горы есть и другой склон).

Неспособность ребенка поставить себя на место другого можно заметить и в его речи. Это когда он начинает рассказывать какую-то историю с середины, словно забыв поделиться с вами предысторией. Или на вопрос о том, чем он занимался в детском саду, отвечает «не знаю» или «ничем». Нет, у него нет цели вас разозлить. Просто он не понимает, что ваши знания разные и вы не можете знать всё, что знает он. В его понимании, если он знает начало истории и то, что он делал в детском саду, то и вы должны, — и тогда какой смысл вам рассказывать?

Но где-то в промежутке между четырьмя и пятью годами все меняется, и ваш ребенок начинает понимать, что опыт других людей отличается от его собственного. Если повторить эксперимент в этом возрасте, ваш маленький мыслитель может предположить, что его друг, не заглядывавший в коробку, скорее всего, скажет, что внутри то, что нарисовано на ней, то есть каша! Считается, что, когда ребенок становится на это способен, он овладевает «концепцией разума»: начинает понимать, что у других людей есть собственные мысли, чувства и убеждения.

Овладение концепцией разума — очень важный шаг в социальном развитии ребенка. Дети, которые способны решать проблемы, требующие понимания психического состояния других (вроде той, что легла в основу этого эксперимента), могут использовать эти знания для более сложного и интересного взаимодействия с людьми. К чему это приводит? Как правило, у таких детей лучше развиты социальные навыки, они легче адаптируются в обществе и имеют более высокий авторитет среди сверстников. Когда дошкольников просят оценить своих товарищей, положив их фотографии в одну из трех коробок с изображением улыбающегося, нейтрального и грустного лица в зависимости от того, насколько с ними интересно играть, фотографии тех детей, кто уже овладел концепцией разума, чаще попадают в коробку с веселым смайликом.

Поэтому то, чему ваш ребенок только что научился, однажды поможет ему стать президентом страны — или как минимум уговорить полицейского не выписывать ему штраф за превышение скорости.

Как помочь ребенку

Дети овладевают концепцией разума быстрее, когда говорят и размышляют о том, что чувствуют и думают другие. Если вы хотите ускорить этот процесс, вот несколько советов вам в помощь.

- *Поощряйте игры, требующие перевоплощения.* Это способствует развитию социальных навыков, поскольку означает необходимость смотреть на мир иначе. Когда дети притворяются каким-то персонажем или играют с воображаемым другом, им приходится принимать во внимание «их» мысли, впечатления и мотивацию.

- *Разговаривайте о мыслях и чувствах в семейном кругу.* Говорите с ребенком о его чувствах, рассказывайте о мыслях и чувствах других. Если вдруг увидите, как на детской площадке один ребенок толкнул другого, спросите своего малыша, что бы он почувствовал, случись это с ним. Если читаете книгу, обсуждайте мысли и мотивацию, которые обусловливают поступки героев, а также выражение их лиц на иллюстрациях и эмоции, которые с ними связаны.

- *Родите ребенку брата или сестру.* Братья и сестры проводят вместе массу времени и, независимо от того, мирно играют или дерутся, постоянно учатся чувствовать друг друга. Понятно, что для первенца вы ситуацию уже не измените, но особенно полезно для ребенка наличие *старших* сестры или брата: те становятся инициаторами более сложных ролевых игр и разговоров о мыслях и чувствах.

Как помочь себе

Любите играть с ребенком в прятки? Воспользуйтесь моментом и выиграйте несколько лишних раз, прежде чем он овладеет концепцией разума.

Пока ребенок не способен смотреть на мир глазами других, его техника игры в прятки примитивна: он десятки раз подряд скрывается за одной и той же шторой, выдает себя хихиканьем или криками «не найдешь!», как только вы отправляетесь искать, причем может делать все эти милые вещи, сидя с закрытыми глазами посреди комнаты (он убежден: раз он вас не видит, то и вы его тоже).

Но как только ребенок научится ставить себя на ваше место, он станет гораздо лучше играть в прятки. А это значит, что самые притягательные для него прежде места перестанут его удовлетворять. И вот тогда придется по-настоящему потрудиться, чтобы его найти!

Правильный порядок

2,5–4 года:
проверяем социальные навыки

Вы наверняка слышали инструктаж в самолетах: когда сверху выпадает страшноватая кислородная маска, вы должны вначале надеть ее на себя и только *потом* помочь надеть ее ребенку. (Отличное правило, особенно если мини-пассажир рядом с вами весь полет порывается сплясать ирландскую джигу на откидном столике.)

Попробуйте провести с ребенком небольшой шопинг-эксперимент, чтобы увидеть, что для него тоже важно вначале помочь себе и только потом — другим.

ЧТО ВАМ НУЖНО

1. Компьютер.

2. Интернет.

3. Базовые навыки покупок в сети.

КАК ЭТО РАБОТАЕТ

Часть 1

Зайдите на сайт интернет-магазина, который торгует товарами и для взрослых, и для детей.

Положите в корзину четыре взрослые книги (или другие подарки, подходящие для взрослых) и четыре плюшевых мишки (или другие подарки, подходящие для детей). Все 8 товаров должны быть видны на одной странице.

Выберите взрослого, с которым очень хорошо знаком ваш ребенок — например, бабушку, — и предложите малышу: «Нам нужно выбрать подарок для бабушки. Можешь мне помочь?»

Если ваш ребенок любит свою бабушку так же сильно, как наши дети, он, вероятно, с восторгом согласится. Но, прежде чем открыть корзину, предупредите ребенка: «Я покажу тебе несколько книг, в которых много слов и совсем нет картинок, такие любят читать взрослые, и несколько мишек. А ты выбери что-то одно, что мы подарим бабушке».

Откройте корзину и покажите ребенку книги и мишек. Спросите его: «Что ты хотел бы подарить бабушке?»

Посмотрите, что он выберет.

Часть 2

Используя ту же корзину для покупок с четырьмя книгами для взрослых и четырьмя мишками, выберите другого взрослого, которого ваш ребенок хорошо знает и для которого хотел бы выбрать подарок, скажем дедушку.

На этот раз скажите ребенку: «Теперь мне нужна твоя помощь, чтобы выбрать два подарка. Один из них — для тебя! Второй — для дедушки. Я покажу тебе несколько книг, в которых много слов и совсем нет картинок, такие любят читать взрослые, и несколько мишек. А ты выбери что-то одно для себя и что-то одно, что мы подарим дедушке».

Покажите ребенку корзину и спросите: «Какой подарок ты хотел бы себе?»

Посмотрите, что он выберет. (И не волнуйтесь: если ваш ребенок похож на всех детей, то скоро забудет об этом, и вам не придется ничего покупать по-настоящему.)

А теперь спросите: «Что бы ты хотел подарить деду?»

Посмотрите, что он выберет для взрослого на этот раз.

Если бы *вам* нужно было решить, что подарить дедушке, это было бы легко, правда? Вы бы наверняка выбрали одну из взрослых книг *плюс* суперзахватывающий подарочный сертификат в магазин товаров для ремонта. (Радуйся, дед!)

Но вашему трех-четырехлетнему ребенку, скорее всего, было очень нелегко выбрать соответствующий возрасту подарок в ходе эксперимента, особенно в части 1. Когда вы предложили ему назвать только одну вещь, он, вероятно, решил подарить взрослому мишку, которого на самом деле хотел бы получить сам. (И если его реакция была похожа на реакцию нашей дочери в ходе подобного эксперимента, он принял это решение *мгновенно* и с восторгом.) С другой стороны, высока вероятность того, что в части 2 он вначале выбрал мишку для себя, а затем одну из книг для взрослого.

В обеих частях эксперимента у ребенка было задание выбрать подходящий для взрослых подарок. Но когда ему не дали возможности взять что-то и себе, его парализовало собственное желание. Ему был *нужен* этот мишка. А раз он не может его получить, пусть тогда бабуля его получит! И только после того, как вы удовлетворили ненасытное желание ребенка и вложили в его жадные ручки одного из этих чудесных мишек, ваш маленький шопоголик смог мыслить достаточно ясно, чтобы подумать о чувствах другого человека.

Не то чтобы дети не знают, какие подарки подходят бабушкам и дедушкам. Исследователи, разработавшие этот эксперимент, еще до выбора подарка просили детей рассортировать набор предметов (вроде кошелька, помады, поваренной книги, куклы, бутылочки и игрушечного грузовика) на две группы в зависимости от того, кому они могут принадлежать, взрослым или детям. И хотя дети без проблем определяли, кому предназначались предметы, они не могли выбрать подходящий подарок для взрослого, пока не получали подарок (или обещание подарка) себе. Лишь удовлетворив свое желание, они высвобождали психические ресурсы для мыслей о других. А до тех пор думать о них просто не могли.

Дарение подарков — задача непростая даже для взрослых и многим из нас дается гораздо хуже, чем кажется. Исследования показывают, что на выбор взрослых их собственные предпочтения влияют намного сильнее, чем им хотелось бы думать. Например, как-то исследователи спросили взрослых участников, какую музыку — 1960-х или 1980-х — те предпочитают. А затем попросили их же оценить, какой процент населения согласился бы с ними. И вне зависимости от того, какое десятилетие выбрали участники эксперимента, они исходили из того, что их выбор поддержит большинство, и переоценили количество отданных за него голосов. Поэтому вполне возможно, что вы выбрали в подарок флакон с лавандовой пеной для ванны не потому, что она «идеально подходит для купания», а потому, что тайно мечтаете сами понежиться в такой.

Этот эксперимент сложен не только из-за того, что детям приходится учитывать чью-то еще точку зрения, но и из-за того, что им нужно выполнять желания этого человека, вступающие в прямое противоречие с их собственными. Некоторые трехлетние дети не могут выбрать подходящий для взрослого подарок, даже получив свой. Просто задача контролировать свои всепоглощающие желания слишком тяжела для их развивающегося мозга.

А знаете, что усложняет этот тест? Исследования показывают, что самоконтроль — редкий навык даже среди взрослых. Мы, родители, благодаря ему удерживаемся от того, чтобы снова отправиться спать после того, как ребенок разбудил нас в шесть утра; и от того, чтобы закричать на него в ответ на его изматывающие крики; и от того, чтобы приласкать друг друга раньше, чем наступит глубокая ночь. Но поскольку самоконтроль — ресурс ограниченный, каждый раз, когда мы его задействуем, его запасы немного истощаются, и в следующий раз собраться с силами сложнее. Неудивительно, что родители так измучены!

И раз контролировать себя трудно даже *нам*, представьте, насколько сложнее это малышу. Если помнишь об этом, лучше понимаешь своего ребенка, стараешься не требовать от него слишком многого и, возможно, экономишь собственные усилия, поскольку приходится реже прибегать к самоконтролю.

Как помочь ребенку

Главное, что нам нравится в этом эксперименте, — возможности для ребенка. Передав ему контроль над корзиной для покупок, вы позволяете ему принять решение (даже если оно и бесполезное, поскольку вы не собираетесь ему следовать). Дайте малышу возможность несколько раз в день делать выбор. Это отличный способ помочь ему стать самостоятельным и избежать проблемного поведения.

Поскольку маленькие дети почти не властны над своими жизнями, когда они сталкиваются с возможностью выбирать — даже если варианты заранее отобраны, одобрены и не вполне независимы, — они чувствуют себя более автономными и способными контролировать *хоть что-то*. Поэтому позвольте им выбирать: футболку, или что съесть на обед (из пары уже отобранных вами блюд), или за какого из кандидатов в президенты вам голосовать.

Ну, знаете, всякую ерунду.

Как помочь себе

В ходе этого эксперимента выбор ребенка парализовало непреодолимое желание обладать новой игрушкой. Если вы хотя бы *некоторое* время проводите с дошкольником, то знаете, что это типичная ситуация, возникающая почти ежедневно. Он постоянно видит классные новые игрушки, книги, коробочки для завтраков и слегка отличающиеся цветом версии того, что у него уже есть, без которых он *просто не может жить*. Это изматывает и его, и вас, приводит к постоянным просьбам, слезливым «ну пожа-а-алуйста» и даже полноценным рыданиям.

К счастью, мы придумали невероятно эффективный трюк, который позволяет справиться с ненасытным аппетитом детей к новым вещам. Он избавляет нас от серьезной головной боли и, возможно, будет полезен вам.

Готовы узнать о нем? Тогда слушайте.

Мы ведем воображаемый список всего, что хотят наши дети. И, надо вам сказать, он *преогромный*. В него попадает абсолютно все, что они пожелают. Мы никогда ничего не записываем, поскольку список воображаемый, но радуем детей тем, что удовлетворяем их желания хотя бы отчасти: если что-то попало в список, значит, когда-нибудь его можно будет получить (даже если на самом деле нет).

Это началось как список того, что наша дочь желала получить к дню рождения, когда ей должно было исполниться два. Вещей этих было много. Когда тот день рождения прошел, мы сказали, что все это переходит в список подарков к Рождеству. Потом — к дню Святого Валентина (этого списка уже *не было в природе*). В итоге дни рождения и праздники из названия списка исчезли, и он стал просто «ее списком». Теперь, что бы дочь ни просила, мы говорим: «Похоже, это отличная вещь, которую стоит включить в твой список!» И она счастлива, потому что ее услышали, а мы — потому что нам не придется слышать об этом снова и снова.

Этот метод настолько эффективен, что как-то нам даже удалось увести дочь из отдела игрушек, сказав ей, что *все* их мы поместили в ее список.

Иногда все же чувствуешь себя родителем-волшебником. И это *потрясающе*.

ЭКСПЕРИМЕНТ № 26

Мини-запоминатель

3–4 года:
проверяем память

Возможно, вы помните, как давным-давно, задолго до того, как у вас появились дети (да и вообще какие бы то ни было обязательства), вы оказались на вечеринке, где все пили что-то очень дешевое из пластиковых стаканчиков. Но, вероятно, не помните, чем все кончилось.

В ходе этого эксперимента вы будете использовать пластиковые стаканчики прямо противоположным способом. Вместо того чтобы затуманить *вашу* память, они помогут улучшить память *вашего ребенка*.

ЧТО ВАМ НУЖНО

1. Восемь одинаковых непрозрачных сосудов (поскольку в обозримом будущем вам не светят общественно опасные пивные вечеринки, отлично подойдут пластиковые стаканчики, что без дела пылятся в кладовке).

2. Два игрушечных животных, достаточно маленьких для того, чтобы их можно было спрятать под перевернутым стаканчиком.

3. Стол и два стула.

4. Видеокамера, видеоняня или еще один взрослый, который поможет вам незаметно наблюдать за поведением ребенка в ходе эксперимента. Не обязательно, но желательно.

КАК ЭТО РАБОТАЕТ

Расставьте стаканчики на столе, перевернув их вверх дном и расположив полукругом напротив стула, где будет сидеть ваш ребенок. Одно игрушечное животное (предположим, собака) должно быть при вас, а второе спрячьте в соседней комнате — и желательно, чтобы из этой комнаты было хорошо видно стол, стаканчики и стулья.

Используя стаканчики и игрушку в качестве реквизита, расскажите ребенку историю. Начните как-нибудь так: «Я хочу рассказать тебе историю про эту собаку», — и покажите ему игрушку.

По ходу рассказа («Вот она играет на детской площадке. Ей нравится играть. Она бегает. Прыгает») показывайте, как собака бегает по столу и прыгает перед полукругом из стаканчиков.

Продолжите так: «Но она играла так долго, что ужасно проголодалась. Поэтому решила поискать какой-нибудь еды. В поисках еды она прошла мимо *этой* конуры, и *этой* конуры, и *этой* конуры, и *этой* конуры, и *этой* конуры». Каждый раз, когда вы произносите «конура», игрушечная собака должна проходить мимо очередного стаканчика, начиная с края полукруга. И так она пройдет примерно пять стаканчиков.

Теперь скажите: «А потом она зашла в *эту* конуру и нашла там еду». Поднимите следующий стаканчик и поставьте под него собаку.

Затем резко оборвите рассказ, предложив: «Знаешь что? У меня есть еще одна игрушка, которая поможет нам рассказать эту историю. Сейчас принесу. Пока я хожу, *запомни*, где сидит собака. Я сейчас приду. А ты *запомни*, где сидит собака».

Внимание: эта часть эксперимента очень важна. Оставьте ребенка за столом одного примерно на минуту, которая вам потребуется, чтобы сходить за второй игрушкой. Но главное, вы должны тайно наблюдать за тем, что делает ребенок во время паузы в игре. Обратите внимание, на что он смотрит, чего касается, чем занимает время. Поскольку это самая важная часть эксперимента, можете записать ее на видео или попросить другого взрослого тайно следить за ребенком, чтобы иметь возможность позже проанализировать его поведение (или просто развлечься).

Примерно через минуту вернитесь и спросите ребенка: «Скажи, где собака? Найди ее, чтобы я мог рассказать тебе конец этой истории».

Когда ребенок покажет вам, где собака, закончите свой рассказ. Это можно сделать быстро («После этого собака и другое животное начали играть вместе. Конец») или подробно («Собака познакомилась с другим животным, и они решили организовать совместный бизнес: скупить по дешевке все эти собачьи будки, сделать в них полы из белого итальянского известняка и гранитные столешницы, после чего продать с огромной прибылью. Но вначале им пришлось зарегистрировать компанию в Неваде, чтобы оптимизировать налоги, и потратить несколько недель на выбор шрифта для фирменного бланка»). На самом деле неважно, как вы закончите рассказ. Эксперимент уже закончился, вы просто играете!

Что делал ребенок в ту минуту, пока вас не было? Сидел и пассивно ждал вашего возвращения? Или показывал признаки того, что пытается активно вспомнить, где находится игрушка? В подобной ситуации чаще встречается последнее. Малыши смотрят на стаканчик с собакой, указывают на него или трогают его. Они могут даже поднять его, чтобы убедиться: да, собака именно здесь!

Эта стратегия целенаправленного запоминания места, где сидит собака, очень важна, поскольку говорит о ранних попытках ребенка активно сохранить что-то в памяти. Мы, взрослые, стараясь запомнить что-то, применяем множество эффективных и практичных стратегий: приводим информацию в более удобоваримый вид (например, «третий стаканчик слева»), повторяем ее про себя снова и снова, создаем ментальный образ, историю или аббревиатуру, связанные с информацией, которую нам нужно сохранить. Дети же обычно не используют эти продвинутые методы примерно до 5–6 лет. Но их предтечу можно заметить в сознательных попытках запомнить место в ходе данного эксперимента.

И эти попытки действительно приносят свои плоды. Исследователи, которые разработали этот эксперимент, в половине случаев просили его участников-детей запомнить место, где была спрятана собака, когда выходили на минуту из комнаты (совсем как вы), а в другой половине случаев *не* делали этого: просто удалялись на минуту за новой игрушкой. В результате оказалось, что дети, которых просили запомнить место, использовали гораздо больше стратегий (смотрели, указывали, дотрагивались и поднимали) — и, соответственно, гораздо чаще помнили его.

Хотя ваш дошкольник наверняка ни разу не слышал об экспресс-тестах, он только что один из них прошел. Наблюдая за тем, как он применяет свой творческий и ясный ум для решения задач вроде этой, вы видите прообраз будущего студента, которым он когда-нибудь станет. И день этот придет быстрее, чем вам кажется. Поэтому помните, что к каждому моменту, который вы проводите со своим малышом, нужно относиться как к собачке под пластиковым стаканчиком: так же внимательно разглядывать, чтобы никогда-никогда его не забыть.

Как помочь ребенку

Есть один эффективный способ облегчить запоминание ребенку: сделать то, что он пытается запомнить, *значимым* для него. В одном из исследований эту идею протестировали тем, что просили две группы детей запомнить список продуктов. Участникам одной группы сказали, что его нужно будет пересказать другому человеку. Участникам другой объяснили, что продукты нужно запомнить, чтобы выбрать их в магазине и потом приготовить легкий обед для родителей. Те дети, которым сказали про значимые действия — приготовление обеда, — запомнили гораздо больше продуктов, чем те, кого просто попросили их запомнить.

От того, что информация более значима, выигрывают не только дети. Люди всех возрастов лучше запоминают то, что глубже прорабатывают. Чем больше вы думаете о новой информации и соотносите ее с уже имеющимися знаниями, тем легче вам будет вспомнить ее позже. И если кто-то хочет запомнить что-то, стоит использовать стратегию интегрирования нового знания в полученные ранее и пытаться придумать примеры, тесно связанные с его личным опытом.

Ваш ребенок еще слишком мал, чтобы самостоятельно применять такие трюки с памятью, но вы можете помочь ему. Обучая его какой-то новой теме, постарайтесь, чтобы он понял ее и запомнил, связав с тем, что уже знает. Например, объясняя ему, как деревья получают из почвы воду и минералы для роста, можете привести аналогию с тем, как питаются и пьют воду люди и животные. А если добавить пример из личного опыта ребенка — как он помогал папе кормить кота, — информация станет по-настоящему значимой для него.

Как помочь себе

Вы знаете, что можете извлечь пользу из пробуждающейся способности вашего ребенка сознательно запоминать информацию? В ходе одного исследования экспериментатор повел детей в возрасте от 3 до 5 лет на прогулку и где-то по дороге намеренно оставил ключи. Дети, которых *попросили* запомнить место расположения ключей, находили их гораздо быстрее.

Когда мы читали об этом исследовании, нам пришла в голову отличная идея. Мы могли бы просить нашего малыша запоминать для нас разные вещи в течение дня, например:

— Вот я кладу ключи на пианино. Можешь помочь мне вспомнить?

— Пожалуйста, напомни маме, что нам нужно купить молоко.

— Запомни, что мы оставили машину на синем уровне, ряд Ж, номер места 4758, ладно?

Ладно, ладно. Может, ставить задачи трехлетнему ребенку, как будто он ваш личный помощник, и не лучшая идея. Но о его растущих способностях к запоминанию забывать не нужно, ведь в чем-то он действительно способен вам помочь. И велика вероятность того, что он будет счастлив время от времени делать это, когда речь идет о чем-то важном. Даже если ваш ребенок не запомнит сказанного, то, что вы произнесли это вслух, может помочь вспомнить это *вам*.

Мини-переключатель

3–4 года:
проверяем навыки решения задач

Все родители — специалисты по мгновенному переключению с одного на другое. Вы можете одеть детей, почитать им книгу, поменять подгузник, погасить ссору, вытереть слезы, пощекотать — и при этом не пережарить яичницу.

Но ребенку переключаться с одной задачи на другую пока трудно.

Благодаря этому эксперименту вы выясните степень гибкости мозга вашего бамбино и узнаете один *роскошный* способ ее повысить.

ЧТО ВАМ НУЖНО

Набор специальных карт вроде тех, что нарисованы здесь, — их можно сделать при помощи чистых каталожных карточек:

- одна карта с черным сердцем;
- одна карта с белой звездой;
- пять карт с белым сердцем;

- пять карт с черной звездой;
- два подноса или коробки, с помощью которых можно будет сортировать карты;
- клейкая лента;
- умение считать до 10.

КАК ЭТО РАБОТАЕТ

Подготовка

Пометьте коробки, прикрепив клейкой лентой к одной из них карту с черным сердцем, а к другой — с белой звездой. Поставьте коробки на столе рядом так, чтобы эти метки были хорошо видны.

Перетасуйте оставшиеся пять карт с белым сердцем и пять карт с черной звездой и положите их одной стопкой на стол рисунком вниз.

Сядьте за стол вместе с ребенком.

Часть 1

Скажите ребенку: «Это игра на цвета. В ней черные отправляются сюда» *(покажите на коробку с черным сердцем)*, а белые — сюда» *(покажите на коробку с белой звездой)*.

Дайте ребенку верхнюю карту из колоды и напомните ему: «Запомни, черные идут *сюда*, а белые — *сюда*». Пусть положит карту в коробку по своему выбору.

Только в отношении первой карты, которую ребенок положил в одну из коробок, скажите, правильно ли он это сделал: «Да, ты положил в нужную стопку!» или «Ой, эта должна быть в другой стопке». По поводу остальных карт не говорите ничего.

Передавайте ему оставшиеся карты по одной, каждый раз напоминая: «Помни, белые идут *сюда*, а черные — *сюда*».

Отмечайте, сколько карт ребенок положил правильно.

Часть 2

Снова перетасуйте карты и положите их одной стопкой на стол.

Скажите ребенку: «Так, теперь переключимся и поиграем в новую игру — на форму. В этой игре сердца идут сюда *(укажите на коробку с черным сердцем)*, а звезды — сюда» *(укажите на коробку с белой звездой)*.

Дайте ребенку верхнюю карту из колоды и напомните ему: «Запомни, сердца идут *сюда*, а звезды — *сюда*».

Передавайте ему оставшиеся карты по одной, каждый раз напоминая: «Помни, сердца идут *сюда*, а звезды — *сюда*».

Отмечайте, сколько карт ребенок положил правильно на этот раз.

Вероятно, вы заметили: правила игры таковы, что верное расположение карт в части 2 противоположно верному расположению в части 1. (Если вы этого не заметили, то ребенок вас точно посрамит.) Это значит, что для успешного завершения эксперимента вашему малышу придется полностью изменить ход мыслей при переходе от части 1 к части 2.

Но велика вероятность того, что он этого не сделал, правда? То есть в части 2 его результат оказался хуже.

Проблема с изменением правил *не* в том, что маленькие дети не могут запомнить новые правила. Могут. Если сразу после того, как ваш трехлетний малыш провалит вторую часть эксперимента, вы спросите его: «Куда идут черные и белые в игре на цвета?» и «Куда идут сердца и звезды в игре на форму?» — он сможет дать вам правильные ответы.

Просто во время подобных экспериментов дети склонны *придерживаться одного поведения*, то есть продолжать рассуждать в рамках первоначальных правил. Когда вы просите ребенка сосредоточиться на том, черный предмет изображен на карте или белый, это ему дается довольно легко. В конце концов, у детей есть врожденная склонность к изучению правил и следованию им. Но когда вы просите малыша изменить стратегию и сортировать карты в соответствии с формой предмета, а не его цветом, это требует довольно резкого мыслительного маневра. Во-первых, нужно удерживать в голове два набора взаимоисключающих правил, и в результате приходится принимать сознательное решение об *игнорировании* первого выученного набора. Вот почему, несмотря на то что вы много раз повторяли ребенку о необходимости сортировать по форме в части 2, он ничего не может с собой поделать и продолжает сортировать по цветам.

И, скорее всего, продолжит это делать до некоторого возраста где-то между четырьмя и пятью годами. С этого момента он будет реже придерживаться одного поведения, научится мгновенно переключаться с одного набора правил на другой и сможет без проблем сортировать карты, по какому бы принципу вы ни попросили его это делать!

Как помочь ребенку

Хотите знать, как вы сможете улучшить результаты своего ребенка в экспериментах вроде этого?

«*Si*»*, — ответите вы.

«Научите его второму языку», — скажем мы.

Исследования показывают, что двуязычные дети успешно проходят этот тест на целый год раньше, чем те, кто *no habla*** ни на каком другом языке, кроме родного. Это очень заметное ускорение, учитывая, что ваш ребенок появился на свет всего несколько лет назад!

Но связь между владением двумя языками и успешным прохождением теста можно понять, если вспомнить, что дети-билингвы вынуждены постоянно переключаться между двумя языками (то есть двумя наборами правил). А раз они все время держат в голове два набора правил, то натренировались не смешивать их при выполнении заданий.

Это значит, что в ходе повседневного общения мозг билингва работает интенсивнее, чем человека, владеющего одним языком. Известно, что люди, которые говорят на двух языках, если

---

* Да! (исп.)

** Не говорит (исп.)

и заболевают болезнью Альцгеймера, то на 7–10 лет позже. Пожилым часто рекомендуют играть в видеоигры и решать кроссворды с целью избежать слабоумия, а билингвы подобные упражнения для мозга выполняют, просто когда говорят!

Поэтому попробуйте научить ребенка второму языку. Для этого потребуется много времени и усилий, но двуязычность обеспечит его пожизненными (и удлиняющими жизнь) преимуществами.

Как помочь себе

По мере роста малыша вы непременно обнаружите, что некоторые установленные (или так и не установленные) вами правила требуют корректировки. Из собственного опыта мы знаем, что дети не особенно благосклонно воспринимают попытки установить *новый* закон. Это объясняется их склонностью придерживаться одного поведения.

Вот пример.

Предположим, у вас выработалась привычка ежедневно укладывать ребенка в постель, а потом приводить в порядок дом, убирая его игрушки, книги, бумажки от наклеек, забытые носки и недоеденные яблоки, живописно разбросанные повсюду. Потом в один прекрасный день вы, поняв, что не обязаны всё это делать, устанавливаете новое правило: всё должен убрать *он*, прежде чем отправиться спать. И получаете полный набор из плача, стонов и жалоб на усталость. То же происходит, если вначале разрешать ребенку во время ужина играть и бегать по всему дому, а потом внезапно велеть ему сидеть смирно, как в ресторане.

Даже недалекий официант, который пытается убрать со стола, хотя вы еще не доели свой шоколадный торт, мог бы объяснить вам, что так не бывает.

Неприятная правда в том, что, если вы успешно научили своего ребенка некоторым правилам (он никогда не убирает свои игрушки и никогда не сидит за столом во время приема пищи), а потом решили заставить его маленький мозг, стремящийся придерживаться одного поведения, игнорировать их в пользу совершенно новых, то ставите себе почти невыполнимую задачу.

Что же можно сделать, чтобы исправить ситуацию? К сожалению, немногое. Будьте последовательны и настаивайте на выполнении новых правил, даже если это и нелегко. Если поддадитесь, то ребенок усвоит, что сопротивление — отличный способ заставить вас изменить свое мнение по тому или иному вопросу. Ну а дальше делайте всё что можете и продержитесь до пяти лет: в этом возрасте психика детей становится гибче.

А до тех пор можете использовать усвоенные из нашей книги уроки при установлении *новых* правил. Скажем, когда придет время покупать новый телефон, скажите малышу, что *этот* аппарат — только для мамы и папы. Озвучьте свою позицию до того, как выработается новая вредная привычка, и не отступайте от нее, даже если вашей крохе очень, *очень* сильно хочется сделать селфи прямо сейчас.

Серьезно?!

3–5 лет:
проверяем социальные навыки

Вероятно, вашему маленькому фантазеру *нравится* придумывать. Шкаф? Это его дом. Плюшевый мишка? Это его ребенок. Кошка? Его лошадь. И урок верховой езды вот-вот начнется! (Нам очень жаль кошку.)

Хотя ваш ребенок уже знает, что такое сюжетная игра — и всё чаще играет именно так, — этот эксперимент показывает, что *кое-чему* о фантазии и реальности он научиться всё же может.

ЧТО ВАМ НУЖНО

Хотя бы смутное представление о том, какие мультфильмы нравятся вашему ребенку.

КАК ЭТО РАБОТАЕТ

Подготовка

Эксперимент состоит из простых вопросов, на которые должны ответить вы и ваш ребенок. Прежде чем начать, выберите персонажей двух мультфильмов, которые знакомы вам обоим.

Вот возможные варианты (хотя ваш выбор может быть иным, главное, чтобы мультфильмы были знакомые):

- Микки-Маус, Дональд Дак и Гуфи;

- Папа Смурф, Благоразумник и Смурфетта;

- Маленькие пони Баттершай, Твайлайт Спаркл и Эпплджек;

- Коты-самураи Спиди Сервиче, Мяузма О'Тул и пес Большой Аль Денте (хотя, если в ваш список попали эти ребята, у вашего ребенка по-настоящему необычная привязанность к странному винтажному японскому аниме).

Часть 1

После выбора персонажей подумайте о *ваших* ответах на приведенные ниже вопросы, по одному за раз, не читая дальше. В нашем примере использованы персонажи первых двух мультфильмов, поэтому при необходимости просто замените их имена на имена тех героев, которых выбрали *вы*.

1. Поразмышляйте о персонажах из выбранных вами мультфильмов.

   - Как вы думаете, Микки-Маус — реальный или вымышленный герой? А Дональд Дак? А Гуфи?

   - Как вы думаете, Папа Смурф — реальный или вымышленный герой? А Смурфетта? А Благоразумник?

2. Поразмышляйте над тем, что персонаж из *одного* мультфильма мог бы сказать о персонаже из *другого* (и наоборот).

   - По мнению Дональда Дака, Папа Смурф — реальный или вымышленный герой?

   - По мнению Смурфетты, Микки-Маус — реальный или вымышленный герой?

3. Поразмышляйте над тем, что́ персонажи из каждого мультфильма могли бы сказать о других персонажах из *того же* мультфильма.

   • По мнению Микки-Мауса, Гуфи — реальный или вымышленный герой?

   • По мнению Папы Смурфа, Благоразумник — реальный или вымышленный герой?

Все ответы записали? Хорошо! Теперь посмотрим, насколько они совпадают с ответами других. Исследователи, разработавшие этот эксперимент, обнаружили, что в среднем взрослые отвечают на эти вопросы так.

• Вопрос 1: практически все взрослые соглашаются с тем, что персонажи мультфильмов *вымышлены*. Тут нет ничего, что вызывало бы удивление.

• Вопрос 2: большинство взрослых считают, что персонажи одного мультфильма посчитали бы героев другого *вымышленными*. (Хотя авторы этой книги уверены, что логично считать мир мультфильмов чем-то вроде коллективной фантазии и что в этом мире все персонажи должны относиться друг к другу как к реальным героям. Но поскольку этот вопрос не особенно важен с точки зрения результата эксперимента, мы не хотели бы останавливаться на нем.)

• Вопрос 3: здесь мы снова сошлемся на мнение большинства взрослых, считающих, что персонажи мультфильмов должны считать других персонажей своего мультфильма *реальными*.

КАК ЭТО РАБОТАЕТ?

Часть 2

Задайте своему ребенку те же вопросы, на которые ответили сами, а затем сравните ответы. Все ли они совпадают? Если нет, в чем разница?

Основываясь на типичных ответах детей от трех до шести лет, мы практически уверены, что ваш ребенок ответит так.

1. Вымышленный.

2. Вымышленный.

3. Вымышленный.

Первые два ответа удивления не вызывают: вы, вероятно, считаете так же. Но на третий вопрос ребенок ответил, скорее всего, не так, как вы. Ученые, которые первыми провели это исследование, выяснили: хотя почти все взрослые согласны с тем, что персонажи одного мультфильма должны считать друг друга *реальными*, почти все дети думают, что они должны считать друг друга *вымышленными*.

Звучит безумно, правда? Как вы можете жить в одной грибной деревне с теми, кто ест те же смурф-ягоды, что и вы, убегает от того же злого колдуна — любителя котов, что и вы, выглядит так же, как и вы (белые шляпы, синяя кожа, вес в три яблока), и при этом *не* считать их реальными? Как сказал бы Дональд Дак, в чем здесь соль?

На самом деле всё просто. Вы уже видели в описанных ранее экспериментах, что вашему ребенку нелегко посмотреть на мир глазами другого. Трех-четырехлетний малыш еще не может мысленно встать на его место и предположить, о чем тот может думать. И не сможет примерно до пяти лет. А поскольку в данном случае нужно еще и «влезть в голову» персонажа, который не только не относится к твоему виду, но и не существует в реальности, потребуется еще больше времени.

А может, и нет, — если вы чуть поможете своему ребенку поменять угол зрения.

Ученые, разработавшие это исследование, повторили его, внеся некоторые изменения: прежде чем спрашивать детей, считают ли персонажи одного и того же мультфильма друг друга реальными, они задавали им вопросы, могут ли эти персонажи видеть и касаться друг друга, а также говорить друг с другом. «Может Смурфетта видеть Папу Смурфа?», «Может Смурфетта дотронуться до Папы Смурфа?», «Может Смурфетта говорить с Папой Смурфом?» Такие вопросы подталкивали малышей к тому, чтобы взглянуть на мир глазами другого человека, и в результате они с гораздо большей вероятностью говорили, что персонажи мультфильма считают друг друга реальными!

Как помочь ребенку

Ближе к школе сюжетные игры, как правило, трансформируются из индивидуальных занятий в коллективные: дети играют и придумывают сюжеты вместе со сверстниками. Для создания вымышленных сюжетов вместе с другими детьми нужно умение общаться, контролировать переговоры и конструировать историю. И если вы хотите помочь своему ребенку развить все эти навыки, то проблем нет: просто играйте с ним!

У вас гораздо больше опыта подобных игр, вы намного лучше понимаете, что думают и чувствуют другие, поэтому можете служить идеальным образцом для подражания и помогать ребенку выдумывать более сложные сценарии и более логичные истории. Например, малышу может быть вполне достаточно раз за разом раскладывать «еду» по игрушечным тарелкам и предлагать вам «приготовленные» им блюда. Но если вы активно включитесь в игру, то сможете поднять ее на гораздо более высокий уровень: вдвоем с ребенком организовать ресторан, у которого будут свое название и меню, блокноты и ручки, чтобы записывать заказы посетителей. А если вам удастся приготовить идеальное блюдо для важного ресторанного критика, неожиданно заглянувшего к вам на огонек, то, возможно, вы получите мишленовскую звезду, которая изменит всю вашу судьбу, позволит задрать цены до небес и в конечном счете приведет к появлению вашего портрета на обложке журнала «Дорогущие закуски»!

Даже если вы зайдете чуть дальше, чем нужно (как с рестораном), наблюдение за тем, как вы придумываете истории, поможет вашему маленькому творцу развить навыки, необходимые для более эффективных сюжетных игр со сверстниками.

Помните об одном: играя с ребенком, не перетягивайте одеяло на себя. Наблюдайте, как играет он, и включайтесь в предлагаемые им сюжеты. Постарайтесь удержаться от соблазна контролировать процесс игры — так вы оба извлечете из нее больше пользы.

Как помочь себе

Ваше развитие тоже не должно прекращаться только потому, что вы уже стали взрослым. Исследования показывают: те, кто читает больше художественных книг, как правило, лучше разбираются в выражениях лиц и понимают эмоции других. А знаете, какой жанр способен стимулировать эмпатию в наибольшей степени? Любовные романы!

Поэтому в следующий раз, оказавшись в библиотеке или книжном магазинчике в аэропорту, выберите какую-нибудь совсем несерьезную книгу. Читая ее, вы подадите пример ребенку, повысите свою эмпатию и при этом получите удовольствие!

Животное или нет?

3–7 лет:
проверяем навыки решения проблем
и категоризации, математические способности

Ваш ребенок карабкается, как мартышка, прыгает, как лягушка, зудит, как комар, и мусорит, как поросенок. И все же он один из самых милых людей, которых вы встречали.

Вы способны воспринимать своего малыша во всем его многообразии, а вот ему думать о чем-то как о совокупности различных аспектов пока трудновато. Проведите этот эксперимент со своим пушистым зайчонком — и вы поймете, что мы имеем в виду.

ЧТО ВАМ НУЖНО

1. Пять-шесть маленьких игрушечных животных одного вида (например, собачек).

2. Два маленьких игрушечных животных другого вида (например, коров).

3. Не по теме: хорошо бы иметь какую-то волшебную машину, способную засасывать, сортировать и аккуратно расклады-вать по коробкам всех этих игрушечных собачек, коровок и прочую дребедень, которая валяется по всему дому.

КАК ЭТО РАБОТАЕТ

Расставьте все игрушки на ровной поверхности.

Спросите своего ребенка: «Кого здесь больше, *собачек* или *животных*?», если, скажем, большинство игрушек — собачки.

Посмотрите, что ответит ваша маленькая обезьянка.

Ха! Ребенок провалил тест, правда же?

Вы спросили его, кого больше, собак или животных. Посколь-ку собака — животное, а вы поставили перед ним собак и коров (которые еще с утра тоже были животными), очевидно, что правильный ответ — «животных».

Но ребенок, похоже, смотрит на это иначе.

Выслушав вопрос, он мысленно перефразировал его так: «Кого здесь больше, собачек или *других* животных?» Даже если вы повторите вопрос, ребенок, скорее всего, будет настаивать на том, что собак больше. После проведения этого эксперимента над своей дочерью мы спросили ее, почему она так думает. Она ответила: «Потому что тут много собачек» (и в ее словах явно слышалось: «Это же очевидно!»).

Мы говорим сейчас о самой забавной стороне эксперимента. Дети трех-семи лет с восторгом примут в нем участие, потому что обожают всё связанное со счетом. И когда вы зададите им внешне простой вопрос о количестве животных, они радостно дадут первый пришедший им в голову ответ. В чем же проблема? В том, что он неверный.

Этот эксперимент разработан очень известным, всеми уважаемым ученым, пионером в области детского развития Жаном Пиаже. Он считал его не просто загадкой, а скорее тестом способности ребенка одновременно оценивать различные аспекты проблемы с целью ее решения. Причина, по которой маленькие дети неправильно отвечают на этот вопрос, такова: они сразу понимают, что собаки классифицируются как «собаки», но не понимают, что их *также* следует отнести к «животным».

По мнению Пиаже, способность правильно отвечать на подобные вопросы — важная веха в интеллектуальном развитии ребенка. Овладев этим навыком, они начинают мыслить гораздо более творчески и критически, а также применять его для решения всевозможных задач — и учебных, и реальных.

Как помочь ребенку

Поскольку ваш ребенок в ходе эксперимента дал неправильный ответ, у вас может возникнуть мысль, что он не понимает цифры. И вы будете не одиноки. Даже великий Пиаже считал, что детей бесполезно учить счету раньше семи лет. На самом деле вы (и Пиаже) неправы, недооценивая возможности ребенка.

Несмотря на некоторые проблемы вроде описанной, маленькие дети понимают очень многие базовые математические концепции еще до того, как пойдут в детский сад. Дошкольники вполне способны считать, сравнивать числа между собой (скажем, знают, что 6 больше 4), складывать и вычитать их.

Очень важно развивать эти способности еще до детского сада: способность обращаться с числами в детском саду сильно коррелирует с последующими успехами детей в математике. Чем лучше дети понимают базовые концепции в раннем возрасте, тем выше их оценки по математике в старших классах.

Но не стоит паниковать из-за того, что ваш ребенок неспособен пока выучить таблицу умножения. Мы вовсе не предлагаем начинать интенсивно заниматься с ним математикой или приглашать высокооплачиваемых репетиторов. Важные навыки счета можно развить простыми повседневными упражнениями: считать ступеньки, поднимаясь или спускаясь по лестнице, выполнять простые арифметические действия с виноградинами во время ужина, играть в настольные игры, где используются цифры.

Важную роль играет любой опыт взаимодействия детей с числами. В ходе одного исследования ученым удалось выяснить, что можно заметно повысить математические способности дошкольников, даже если всего 4 раза по 15 минут поиграть с ними в игру, где используются пронумерованные квадраты. И эффект при этом сохраняется в течение нескольких недель после занятий.

Но помните: внедряя математические игры в повседневную практику общения с детьми, следует придерживаться принципа *равных возможностей*. Исследования показывают: американские родители говорят о цифрах с мальчиками вдвое чаще, чем с девочками. Ваше желание вырастить маленькую принцессу можно только приветствовать. Но окажите дочери услугу: обучите математике, чтобы она смогла сосчитать бриллианты в своей короне!

Как помочь себе

Если вы когда-нибудь окажетесь в компании психологов, занимающихся вопросами детского развития, то, стоит вам вскользь упомянуть имя Пиаже, вас автоматически сочтут своим. Например, можно использовать такие фразы:

- «Этот парень думает, что он Пиаже?»
- «Такое ощущение, что эти люди никогда не слышали о Пиаже!»
- «Пиаже, правильно?»
- «За Пиаже!»

После чего чокнитесь, выпейте и ждите потока запросов на добавление в друзья в фейсбуке.

Единожды солгав...

3–7 лет:
проверяем социальные навыки

Слышали историю о том, как шестилетний Джордж Вашингтон храбро признался в том, что срубил любимую вишню отца, заявив: «Не могу лгать»? Ее всегда приводят в качестве примера честности и добродетельности первого президента США. Только знаете что? Вполне возможно, он просто был слишком мал, чтобы врать. Если бы он стал маньяком с топором на пару лет позже, то вполне мог бы обвинить во всем брата.

Этот забавный эксперимент поможет вам оценить развитие способности врать у вашего ребенка — чтобы вы точно могли определить, когда вас надули!

ЧТО ВАМ НУЖНО

1. Корзина с игрушками, способными издавать шум, и одна бесшумная игрушка.

2. Одеяло или большое полотенце.

3. Стол и два кресла.

4. Видеокамера или видеоняня для скрытого наблюдения за поведением ребенка (не обязательно, но желательно: повеселитесь!).

5. Приз.

КАК ЭТО РАБОТАЕТ

Подготовка

Положите в корзину несколько самых шумных игрушек вашего ребенка: говорящую куклу, музыкальные инструменты, игрушечный телефон, обезьяну с медными тарелками и т. д. Выберите минимум шесть игрушек, издающих как можно более разнообразные и уникальные звуки.

Добавьте одну игрушку, которая не способна издавать звуки, — например, футбольный мяч, кубик или фигурку животного. Накройте корзину и все ее содержимое полотенцем.

Поставьте стулья к столу друг напротив друга. Один из них (на котором будете сидеть вы) должен быть повернут *к столу*, а второй (на котором будет сидеть ребенок) — *от* стола, так, чтобы малыш не мог видеть ни стол, ни вас.

Поставьте корзину с игрушками, накрытую полотенцем, рядом со своим стулом.

Если есть возможность, установите видеокамеру или видеоняню, чтобы снимать поведение ребенка во время эксперимента.

Эксперимент

Попросите ребенка сыграть с вами: «Я буду издавать звук игрушкой, а ты — угадывать ее не глядя. Угадаешь три раза — получишь приз!»

Сядьте за стол. Хотя ребенок окажется спиной к вам, каждый раз, доставая игрушку, напоминайте ему, что подсматривать нельзя.

Достаньте одну игрушку из корзины, положите на стол и извлеките из нее звук, а ребенок пусть угадает ее. Повторите то же с другой игрушкой так, чтобы он правильно угадал две игрушки.

Теперь, когда ребенок всего в шаге от получения приза, возьмите бесшумную игрушку, положите ее на стол и несколько раз щелкните пальцами.

Сразу после этого (прежде чем ребенок сможет предположить, что это за игрушка) скажите, что вам нужно на минуту выйти из комнаты, но вы скоро вернетесь. При этом напомните: «Подглядывать нельзя. Я оставлю игрушку на столе, а когда вернусь, ты получишь приз, если ее отгадаешь. Но помни: не подглядывать!»

Выйдите из комнаты примерно на минуту. Если установили видеоняню, можете посмотреть на экран.

Входя в комнату, заранее предупредите об этом ребенка, громко запев или заговорив. Вернувшись за стол, накройте игрушку полотенцем.

Спросите ребенка: «Так что это за игрушка, как ты думаешь?»

Если он ответит правильно, спросите: «Как ты узнал? Подсматривал, когда я выходил?» (Если он промолчит, заверьте его, что не рассердитесь независимо от его ответа.) Если ответит неправильно, доставайте новые игрушки, пока ребенок не угадает правильно три раза.

Вручите своему маленькому чемпиону его законный приз!

Так что, отгадал ли ваш ребенок бесшумную игрушку? Если да, поздравляем вас! Отныне вы можете официально не верить ни единому слову, которое вылетает из его рта! Ясно, что угадать ее по издаваемому ей звуку он не мог (потому что она не издает звуки), практически гарантированно подглядывал. А если сказал, что *не подглядывал*, то еще и соврал.

Этот эксперимент предназначен для моделирования одного из первых типов лжи, осваиваемых детьми: отрицанию поступка, который взрослые просили не совершать. Если вам будет легче, скажем, что во время этого эксперимента подглядывают большинство детей — и большинство после этого врут, что не подглядывали. Но *не все*. Например, половина трехлетних детей признаются в этом — вероятно, потому, что у них еще не развита способность лгать.

Так что радуйтесь, пока это так!

Даже когда малыши начинают говорить неправду, вам будет несложно это понять. Как минимум в первые несколько лет. Исследования показывают, что дети до восьми лет не очень искусные лжецы. Например, в одном из них взрослым, которые наблюдали за детьми в ходе подобного эксперимента, удалось точно угадать, когда дети лгут, а когда нет, хотя они не знали этих детей лично и не видели, подглядывали те или нет. Большинство детей (особенно маленьких) выдают себя даже без особого нажима.

Но некоторые дети — настолько опытные лжецы, что, подсмотрев, называют *другую* игрушку, чем та, которую видели, просто чтобы сбить вас с толку. Сложный обман такого рода чаще встречается у более старших детей. Так что после шести-семи лет усильте бдительность. Спать лучше вполглаза. Причем спрятав бумажник между ног.

Когда нашей дочери исполнилось три года, она начала экспериментировать с ложью. Как-то мы приготовили пирожное, которое она могла съесть, пока сидела с няней, и, вернувшись, спросили, понравилось ли оно ей. Она ответила: «Ой, думаю, его съел Фредди». Нас это удивило. Пирожное было слишком большим для ее годовалого брата, да и, честно говоря, мы не могли представить ситуацию, в которой она бы позволила ему *приблизиться* к своему десерту. Было непонятно, как реагировать на ее слова. Но она сама решила уточнить свой ответ, заявив: «То есть оно упало на пол и испачкалось, и никто не мог его есть». В этот момент до нас дошло, что наша маленькая девочка водила нас за нос, желая получить еще одно пирожное. Мы спросили, не врет ли она, на что она ответила: «Я не вру, а просто шучу!»

То, что наша дочь перепутала ложь и шутку, вполне объяснимо, учитывая, что и то и другое предполагает заведомое искажение действительности. Но чтобы распознать ложь, требуется более глубокое знание намерений другого человека. Нужно понимать не только то, что он сказал неправду, но и то, что это было сделано с намерением перехитрить собеседника. Вот почему дети обычно учатся понимать шутки раньше, чем распознавать ложь.

Как бы ни раздражало нас вранье детей, обычно оно является показателем их ума. Чтобы соврать убедительно, ребенку нужно «влезть» в вашу голову и точно оценить, что вы знаете, а что нет. А еще сочинить правдоподобную историю, удерживая в памяти противоречивые сведения (вымысел и реальность), и контролировать себя, чтобы случайно не проговориться. Для мозга маленького человека это непростая задача.

Вот почему способности ребенка ко лжи связаны с уровнем его общего интеллекта.

Дети, которые лгут в ситуациях, подобных описанной здесь, как правило, показывают более высокие результаты в тестах на умение планировать, искать решение проблем и уделять внимание конкретной информации. Все это важные аспекты общего интеллекта. И если эксперимент показал, что рядом с вами растет маленький лжец, как минимум это означает, что он довольно умен!

Как помочь ребенку

Хотите помочь ребенку *лучше* лгать? Конечно, нет (если только вы не законченный мазохист). Вот почему вам важно контролировать *собственное* поведение, чтобы не вынуждать ребенка говорить неправду чаще, чем это нужно.

Главная причина детской лжи — стремление избежать наказания. Поэтому, если вы уже знаете, что ребенок сделал что-то плохое, не стоит спрашивать его, так ли это, если не хотите услышать в ответ неправду. Например, когда вы входите на кухню и видите ребенка, который там обедает, и разбросанную по полу еду, то легко можете догадаться, кто устроил этот бардак. Однако почему-то первое ваше желание — спросить его (очень строгим голосом): «Это *ты* разбросал еду по полу?» Ваш ребенок не хочет вас расстраивать — и еще меньше хочет быть наказанным, — поэтому ему будет трудно удержаться от лжи.

Попробуйте не вопрос, а утверждение: «Я вижу, что ты разбросал еду по полу. Это меня очень расстраивает, потому что так мы с едой *не* поступаем. Тебе придется всё убрать».

Можете сказать это тем же строгим голосом, если вам будет от этого легче.

Побуждение ребенка к ненужной лжи может привести к тому, что он станет *больше* лгать вам в будущем. И хотя ложь характерна для всех детей, исследования показывают: когда она начинает доминировать, у ребенка больше шанс вырасти маргиналом. Она совершенствуется во лжи, а дистанция между сегодняшним небольшим проступком и завтрашним серьезным преступлением — всего лишь вопрос масштаба.

Как помочь себе

Теперь, когда ваш маленький мошенник почувствовал вкус к неправде, вы наверняка захотите вооружиться как можно большим количеством инструментов, которые позволят вам ее определять. Вот некоторые типичные признаки того, что ребенок пытается водить вас за нос.

- *Ребенок проговаривается.* Часто бывает, что, как и в этом эксперименте, ребенок выдает себя в разговоре. Поэтому задавайте дополнительные вопросы — возможно, ответы на них подскажут, правду ли вам говорят.

- *Новая информация при повторении истории.* Когда дети несколько раз рассказывают одну и ту же реальную историю, они, скорее всего, снова и снова будут повторять одно и то же и вряд ли добавят новую информацию. А вот вымышленные истории, не основанные на фактах, имеют тенденцию меняться со временем.

- *Широкие улыбки.* Дети, пытающиеся лгать, с большей вероятностью расплываются в улыбке, как политики на экране, а говоря правду, сохраняют нейтральное выражение лица. Поэтому, какой бы очаровательной ни была улыбка вашего ребенка, она должна заставить вас насторожиться в случаях, когда у вас есть основания подозревать нечестную игру.

ЭКСПЕРИМЕНТ № 31

Рисуем от нечего делать

3 года и старше:
проверяем память и умение
использовать символы

Записанный на пленку голос предлагает нам подождать, поскольку «все операторы заняты»; кое-как разместившись за неудобной партой, вы изныаете в ожидании начала родительского собрания; по телевизору идет идиотская, но любимая вашим ребенком телепередача, которую вы смотрите, по ощущениям, уже в двухсотый раз на этой неделе. Все мы сталкиваемся с ситуациями, в которых наш мозг работает вхолостую, и его единственная задача — как-то убить время.

В такие моменты часто ловишь себя на том, что рисуешь лица, геометрические фигуры — в общем, черкаешь бессмысленно на любом клочке бумаги, который попадется под руку (или даже на самой руке).

Но для вашего ребенка рисование — не просто способ убить время. Проведите с ним этот эксперимент, замаскированный под игру, и увидите, насколько сложные воспоминания хранятся в его маленькой головке, а кроме того, получите прекрасный подарок на память!

ЧТО ВАМ НУЖНО

1. Стандартный набор карточек с парными рисунками для игр на запоминание.

2. Бумага.

3. То, чем ваш ребенок предпочитает писать.

КАК ЭТО РАБОТАЕТ

Подготовьтесь к обычной игре на запоминание, перетасовав картинки и разложив их рядами.

Прежде чем начать игру, дайте ребенку бумагу и то, чем можно писать, и скажите, что во время игры он может писать и рисовать *что угодно*. Рисунки, слова, тексты его любимых песен 1960-х годов — неважно, если это поможет ему лучше запомнить расположение карточек, чтобы находить пары более точно.

Играйте как обычно, переворачивая карты в поисках двух одинаковых.

Особое внимание уделяйте тому, что пишет или рисует ребенок.

Игры на запоминание — очень полезное занятие для развития мозга детей. Но если добавить к ним бумагу и ручку, это поможет вам еще больше узнать о том, как думает ваш малыш.

Закончив играть с ребенком, взгляните на его каракули. Поскольку этот эксперимент можно проводить с участием детей почти любого возраста, выглядеть они могут как угодно. «Правильные» заметки — те, что действительно способны улучшить результаты игры — предполагают использование символов, благодаря которым можно запомнить расположение парных карточек. Например, можно нарисовать сетку, соответствующую рядам карточек, и отмечать в ней их рисунки. Скажем, увидели карточку с цветком — изобразили в соответствующей ячейке цветок или хотя бы букву «Ц» (что, конечно, не поможет, если есть карточка с цаплей).

Совсем маленьким детям это никак не помогает. Их заметки выглядят скорее как случайные рисунки, не имеющие никакого отношения к игре. Более того, малыш может так увлечься рисованием, что вовсе потеряет интерес к карточкам.

Но по мере взросления возникает связь между заметками и игрой, которая со временем становится все более очевидной и все более явно помогает им выигрывать. Проводившие эти эксперименты ученые обнаружили значительный прогресс в разработке полезной системы обозначений у семиклассников по сравнению с первоклассниками, поэтому в ближайшие годы вас ждут большие перемены.

Старшие дети настолько хорошо овладевают этой техникой, что целиком полагаются на нее, даже не пытаясь запоминать расположение карт. Если в середине игры забрать у них заметки, они вообще не угадают ничего, поскольку привыкли эффективно использовать бумагу и ручку. Знаете, вроде того, что *вы* не смогли бы позвонить собственной матери, если бы не записали ее номер в телефон.

Время от времени повторяйте этот эксперимент в течение следующих нескольких лет, чтобы следить, как развиваются память и навыки использования символов у вашего ребенка. Можно даже сохранять все старые заметки, чтобы потом развлечься, сравнивая их!

Если, конечно, не забудете. Тогда, пожалуй, вам самим стоит делать памятки.

Как помочь ребенку

Хотите узнать легкий способ помочь своему ребенку делать хорошие заметки? Поощряйте его писать от руки. Знаем-знаем. Этот совет кажется очевидным, вроде предположения, что имениннику больше понравится подарок, если прицепить к нему большой красивый бант. Но мы совсем о другом. Чтобы хорошо владеть ручкой и, соответственно, хорошо делать заметки, неважно, насколько *ровно* пишет ребенок. Важно, чтобы он писал *быстро*.

Исследования показывают, что лучше всего делают заметки те, кто быстрее пишет. Для оценки скорости письма ученикам предлагали в течение 30 секунд написать алфавит столько раз, сколько они успеют. Затем скорость письма сравнивали с качеством заметок, сделанных в ходе игры, и оказалось, что тот, кто успевал написать больше, и заметки делал более точные и сосредоточенные на главном. Способность писать быстро означает, что этот процесс становится более автоматическим и требует меньших затрат психической энергии. А значит, эту энергию можно направить на другое: например, сосредоточиться на игре и осмыслении информации, чтобы заметки были содержательнее. Что, в свою очередь, приводит к лучшим результатам.

Способность писать быстрее также связана с умением сочинять более интересные истории и писать сочинения. Исследования показывают, что дети, которые могут написать больше за меньшее время, как правило, получают более высокие оценки за различные аспекты качества написанного. Навыки быстрого автоматического письма высвобождают психическую энергию для составления и лучших заметок, и более качественного текста.

Раз умение быстро писать означает хорошие оценки и удачные сочинения, ваши занятия с ребенком письмом сейчас помогут ему в школьные годы. А чтобы они проходили интереснее, попробуйте следующие приемы:

- Напишите вместе с ребенком письмо родственнику, живущему в другом городе.

- Попросите ребенка записать для вас рецепт блинчиков, после чего приготовьте их вместе с ним, или поручите составить список покупок перед походом в магазин.

- Покрасьте одну или все стены одной из комнат вашего дома краской, по которой можно писать мелом или фломастером, чтобы ребенок мог там упражняться.

- Принадлежности для письма должны быть доступны ребенку в том месте, где он обычно играет, чтобы он мог практиковаться в течение дня.

- Рисуйте вместе с ребенком и фиксируйте предложения, которые описывают нарисованное.

- Предложите ребенку самому написать рассказ, сценарий фильма или пьесу.

Как помочь себе

Считаете, что не можете хранить заметки, сделанные ребенком во время игр на запоминание, потому что ваш дом и так уже завален бумагой? Понимаем. Но мы ведь с вами — родители цифровой эпохи, и это здорово!

В наше время есть масса приложений для телефонов, планшетов и компьютеров, позволяющих фотографировать и хранить всё, что изображает ваш ребенок каждый день. Загрузив файл в хранилище, смело выбрасывайте оригинал в мусорное ведро! Школьный проект к празднику? В телефон — и в мусорку! Сто восемьдесят пять листов бумаги, покрытых наклейками с собаками в разных одеждах? В телефон — и в мусорку! Ребенок впервые написал свое имя? Ну, *первая* мысль — оставить оригинал на память. А со *второй* попытки по *пятнадцатую*? В телефон — и в мусорку!

Некоторые программы даже позволяют автоматически делиться всеми фотографиями с друзьями и родственниками. Поэтому, если бабушки и дедушки не могут каждую неделю приезжать к вам, чтобы полюбоваться новыми работами вашего маленького Пикассо, — нет проблем. Отправляйте им новые галереи в электронном виде!

ЭКСПЕРИМЕНТ № 32

Сладкий, липкий, вязкий успех

4–5 лет:
проверяем умение ставить цели, самоконтроль

Вот он.

Вот эксперимент, которого вы ждали.

Эксперимент, который доподлинно покажет, что ждет вашего ребенка: величие и успех или жалкое прозябание на вашем диване большую часть его взрослой жизни.

Но не напрягайтесь слишком сильно.

Проведите классический «маршмеллоу-тест»*, чтобы выяснить, обладает ли ваш малыш тем, что ученые считают необходимым условием успеха. Или, если эта задача кажется вам

---

* Маршмеллоу — очень популярное в США лакомство. В России его иногда продают как «зефир», хотя на самом деле оно заметно отличается от зефира и вкусом, и составом, и способом приготовления. Маршмеллоу-тест был разработан и впервые проведен известным американским психологом Уолтером Мишелом (его книга «Развитие силы воли» вышла на русском языке в издательстве «Манн, Иванов и Фербер в 2015 г.). Видеозапись самого эксперимента можно увидеть здесь: http://www.youtube.com/watch?v=pw2aNq1WVok. *Прим. ред.*

слишком пугающей, чтобы съесть целую кучу лакомств (мы вас не осудим).

ЧТО ВАМ НУЖНО

1. Стол и стул.

2. Скучная комната, в которой ничто не привлекает внимание. В идеале в ней должны быть только стол и стул (в качестве образца представьте офисную столовую или комнату для переговоров).

3. Два одинаковых кусочка маршмеллоу или других сладостей, которые любит ваш ребенок.

4. Скрытая видеокамера или видеоняня, чтобы наблюдать за поведением ребенка во время эксперимента из другой комнаты.

КАК ЭТО РАБОТАЕТ

Посадите ребенка за стол и положите один из кусочков марш-меллоу прямо перед ним.

Скажите ему, что вам нужно выйти из комнаты, но лакомство вы оставите на столе. Объясните, что если он не съест его в ваше отсутствие, то, когда вернетесь, вы дадите ему *два* кусочка маршмеллоу!

Выйдите из комнаты примерно на пятнадцать минут. В это время записывайте поведение ребенка на видеокамеру, наблюдайте за ним при помощи видеоняни или через окно.

Закончите эксперимент одним из следующих действий.

- Если ребенок съел лакомство в ваше отсутствие, не давайте ему второй кусочек.

- Если ребенок сдался, выйдя из комнаты или своими криками вынудив вас вернуться раньше времени, можете дать ему съесть первый кусочек маршмеллоу, но не второй.

- Если ребенок не съел сладость и продержался пятнадцать минут, вернитесь и наградите его *двумя* кусочками.

Если бы в области психологии развития существовал хит-парад тестов, этот простой эксперимент занимал бы в нем первую строку. С тех пор как исследователи Стэнфордского университета впервые провели его в конце 1960-х, на него не только много раз сослались ученые: он получил широкую известность в массовой культуре, упоминался в фильмах, музыке и даже телерекламе.

Мы подозреваем, что по большей части популярность этого эксперимента вызвана тем, как восхитительно наблюдать за детьми, пытающимися удержаться от того, чтобы съесть этот аппетитный, бесконечно соблазнительный кусочек лакомства, который лежит в нескольких сантиметрах от их лица. Возможно, его известность отчасти связана и с тем, что, как показывают исследования, результаты «маршмеллоу-теста» способны предсказать успех детей в будущем — во взрослой жизни.

Ну так что сделал ваш ребенок?

Схватил лакомство, не дав вам даже до двери дойти, или действительно ждал все это мучительно долгое время, пока вас не было? Если ждал, то вы могли наблюдать за тем, как он пытался отвлекать себя от мыслей о сладости самыми разными способами. Мог закрыть глаза, чтобы не видеть ее. Мог петь, качать ногами, разговаривать сам с собой, лишь бы не думать о лакомстве. Мог даже лизнуть его кончиком языка, чтобы хоть чуть-чуть удовлетворить свою страсть в ожидании момента, когда сможет проглотить эту сладкую субстанцию целиком. За этим поведением не просто очень интересно наблюдать: оно дает представление о способах отвлечься, которые помогли вашему ребенку успешно пройти испытание.

Эксперимент требует помнить о цели и приложить огромную силу воли, чтобы ее достичь. Эти же навыки необходимы для достижения любых, даже самых крупных жизненных целей. Например, чтобы прилежно заниматься в школе и получить возможность поступить в хороший университет. Или упорно практиковаться в игре на каком-то музыкальном инструменте, чтобы виртуозно им овладеть. Или избегать соблазнов в питании и в итоге сбросить лишний вес.

Так что, если ваш ребенок *дождался*, это говорит о хороших перспективах для него. То, что у него хватило силы воли достичь цели в этой ситуации, значит, что у него есть нужные качества для достижения целей в реальной жизни. Исследователи, которые провели этот эксперимент с участием маленьких детей, затем проследили их жизненный путь на протяжении нескольких десятилетий. Результаты показали: дети, успешно справившиеся с задачей, и позже показывали лучшие результаты, например получали более высокие баллы на итоговом тестировании в школе и реже страдали от лишнего веса.

Это означает, что описанный эксперимент, пожалуй, будет единственным случаем, когда можно *удвоить порцию лакомства*, чтобы остаться в хорошей форме!

Как помочь ребенку

Ваш ребенок сдался и съел лакомство, вы ужасно расстроились и теперь уверены, что из него никогда ничего дельного не выйдет? Во-первых, постарайтесь успокоиться. Серьезно, это не конец света. Оказывается, есть множество способов помочь своему нетерпеливому сластене развить навыки постановки целей и откладывания удовольствия. Вот несколько хороших советов.

- *Устанавливайте ограничения и строго их соблюдайте.* Соблюдение правил в повседневной жизни приучает ребенка к самоконтролю. Вполне объяснимо, что дети из семей, в которых есть ясные и строгие правила, показывают в ходе подобных тестов лучшие результаты. Поэтому не давайте слабину, когда возникает конфликт из-за того, что пора идти спать, нужно есть овощи или нельзя обижать братьев и сестер. Но и *слишком контролировать* поведение своего ребенка не стоит: это подрывает его способность стать уверенным в себе и независимым членом общества. Старайтесь балансировать строгие правила с любовью и поддержкой. Ваш малыш должен знать, чего вы ожидаете от него, и чувствовать поддержку в тех случаях, когда его поведение соответствует семейным целям.

- *Будьте предусмотрительны.* Вы можете помочь ребенку, попытавшись предположить, какие барьеры могут встать на его пути к успеху. Исследователи разработали еще один тест на способность откладывать удовольствие, в котором малыши должны сопротивляться соблазну потрогать привлекательно выглядящий подарок. Гораздо успешнее его проходили дети, чьи родители понимали, как трудно им будет справиться с заданием, и использовали различные методы отвлечения их внимания от подарка. То же можно делать и в реальной жизни. Например, устранить возможные проблемы с выполнением домашнего задания, обустроив ребенку тихое рабочее место и выделив определенное время в течение дня.

- *Покажите положительный пример.* На детей сильно влияет поведение других. В экспериментах, подобных этому, дети, которые видели, как другие люди контролируют себя и дожидаются вознаграждения, сами чаще успешно проходили испытание, а те, на глазах которых другие сдавались перед соблазном получить удовольствие немедленно, с большей вероятностью проваливали тест. Поэтому показывайте ребенку пример умения отложить удовольствие. Например, вместо того чтобы опустошить кредитную карту, купив новую модель телевизора с большой диагональю в первый же день ее выхода на рынок, можно откладывать понемногу каждый месяц и в итоге купить ее за наличные. Главное — не забудьте объяснить суть этой стратегии постановки целей ребенку!

- *Напоминайте и помогайте сосредоточиться.* Если почувствуете, что ребенок начинает сдаваться и отказываться от намеченных целей, помогите ему не сворачивать с пути, напомнив, ради чего ему нужно стараться: «Помнишь, что если ты напишешь все слова без ошибок, то получишь хорошую оценку за контрольную работу?» или «Я знаю, мое солнышко, что тебе не хочется прибирать комнату, но, если ты бросишь это делать, мы не найдем кошку». Нескольких ваших слов ободрения вполне достаточно, чтобы поддержать мотивацию ребенка.

Как помочь себе

Еще одна причина не принимать близко к сердцу результаты этого эксперимента — на них могли повлиять *вы сами*. Речь не только об ошибках, допущенных при подготовке и проведении испытания; нервозности, в результате которой вы пропустили какой-нибудь важный этап; вмешательстве младшего ребенка, который вбежал в комнату в самый неподходящий момент и всё испортил. (Короче, уверены ли вы, что всё сделали правильно?)

Речь скорее о том, как влияет на результаты эксперимента весь предыдущий опыт вашего общения с ребенком. Если вы ранее выполняли данные ему обещания, он скорее дождется награды. А если он знает, что вы обычно *говорите* больше, чем *делаете*, он может решить, что ждать не стоит. Пусть доступное вознаграждение меньше возможного, ему не следует откладывать удовольствие.

Избежать этого эффекта можно, если попросить провести эксперимент кого-то, с кем ваш ребенок знаком меньше: коллегу, друга или дальнего родственника. Но если вы возьмете это на себя, возможно, результаты испытания больше скажут о вас, чем о ребенке.

Чтобы ваши отношения с малышом были хорошими, он должен вам доверять. Если обещаете ему поход в парк — смиритесь с тем, что в ближайшем будущем вас ждут качели и горки. Если говорите, что на сладкое он получит мороженое, приготовьтесь положить ему щедрую порцию. Вам может казаться, что ребенок еще слишком мал и что должен уметь справляться с разочарованием, если произошло что-то непредвиденное или вы решили передумать. Но он-то воспринимает ваши слова очень серьезно, поэтому такие маленькие разочарования могут в итоге привести к большому крушению иллюзий, если вы не проявите осторожность.

Возможно, ваш ребенок еще мал, но он полностью сформировавшийся человек со своими надеждами, мечтами и эмоциями. Проявите к нему уважение, которого он заслуживает, — и он покажет вам всё, на что способен.

Представьте себе!

4 года и старше:
проверяем творческие способности

Если предыдущий эксперимент никак не выходит у вас из головы, мы приготовили для вас хорошую новость: на «маршмеллоу-тесте» свет клином не сошелся.

Наличие самоконтроля у детей может что-то сказать об их будущем успехе, но ведь многие успешные взрослые в детстве обладали очень развитым воображением, объедались сладостями и не могли ни минуты просидеть спокойно.

Этот эксперимент поможет оценить *творческие* способности вашего ребенка, а затем использовать *их* для предсказания его успеха в будущем!

ЧТО ВАМ НУЖНО

1. Ложка.

2. Игрушка в виде животного.

3. Набор фрагментов рисунков вроде показанных на следующей странице.

4. Фломастеры, маркеры или цветные карандаши.

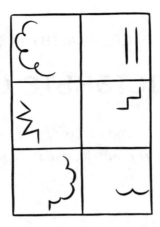

КАК ЭТО РАБОТАЕТ

На самом деле это не один эксперимент, а целых три! Каждая его часть полностью независима от двух других, поэтому проводить их можно в любом порядке и в любое удобное для вас время.

Часть 1

Дайте ребенку ложку и попросите его придумать как можно больше способов ее использования.

Скажите, что он может предлагать вам новые варианты и в будущем.

Часть 2

Покажите ребенку игрушку в виде животного и спросите его: «Как ты мог бы улучшить ее? Что можно сделать, чтобы она стала еще забавнее?» (Неважно, если какие-то его предложения будет невозможно реализовать.)

Затем задайте ребенку вопрос: «Можешь придумать, как еще использовать ее?» Добавьте, что можно сколько угодно думать над ответами и предлагать их вам.

Часть 3

Возьмите лист бумаги и срисуйте шесть квадратов с фрагментами линий, которые показаны на предыдущей странице. Ничего страшного, если ваши рисунки будут выглядеть не совсем так, как в книге. Подойдут любые линии.

Затем дайте ребенку фломастеры, маркеры или карандаши и попросите его закончить рисунки.

Если эти эксперименты покажутся вам играми, в которые весело играть с ребенком, то вы правы! Но при этом они дают прекрасный способ протестировать его творческие способности. В каждом из них вам нужно проанализировать ответы и реакцию ребенка, руководствуясь следующими критериями:

- *Количество вариантов.* Сколько идей предложил ребенок? Чем разнообразнее те из них, которые отвечают на поставленный вопрос, тем более развитыми способностями обладает малыш. Кроме того, есть связь между количеством ответов и их качеством: как правило, более *поздние* идеи оказываются более интересными. И если ребенок продолжает их предлагать — это хороший знак!

- *Уникальность вариантов.* Были ли предложения ребенка простыми (скажем, есть ложкой суп) или изобретательными (скажем, использовать ее в качестве бассейна для Дюймовочки)? В задании с рисунком уникальность реакции ребенка определяется небанальным использованием линий (скажем, кривая становится частью кольца астероидов вокруг планеты в сложной космической сцене, а не просто ртом улыбающегося лица). Нарушение границ, рисование за пределами квадратов и любое другое необычное использование пространства также следует считать проявлением творческих способностей! Дополнительные очки ребенку должны приносить юмористические, ироничные или эмоциональные ответы.

- *Степень детализации.* Насколько подробно проработаны ответы ребенка? Если он предложил превратить своего мишку в машину времени, есть ли у вас ощущение, что вы готовы немедленно приступить к изготовлению ее чертежей? То, что ребенок готов дать вам *множество* деталей, говорит о его развитых творческих способностях. О том же свидетельствует наличие абстрактных, фантастических и прочих вымышленных подробностей.

Ту же систему оценки можно использовать на протяжении всей жизни человека, а не только в дошкольном возрасте. Но похоже, что творческие способности со временем меняются. Например, в задании с фрагментами линий совсем маленькие дети могут поначалу рисовать внутри квадратиков и даже не включать в них уже имеющиеся линии. По мере взросления они начинают *копировать* фрагменты линий, затем *продолжать и замыкать* их, чтобы получить простые фигуры, а позже и превращать фрагменты в более сложные и творческие рисунки. Некоторые исследования показывают, что навыки решения таких задач достигают пика в начальной школе, а потом начинают постепенно снижаться. Неформальные, исторические и очень *личные* исследования Энди показывают, что в возрасте примерно двенадцати лет мальчики способны *любой* предложенный им фрагмент линии превратить в рисунок женского бюста.

Любой. Фрагмент. Линии.

Хотя творческие способности со временем меняются, *относительная* степень изобретательности человека в сравнении с его сверстниками остается практически постоянной на протяжении всей его жизни. Поэтому, если ваш начинающий художник демонстрирует яркие творческие способности, есть хорошие шансы, что он будет отличаться хорошим воображением и во взрослой жизни. Это правда! Исследователи проводили подобные эксперименты с участием школьников начальных классов. А потом встретились с ними сорок лет спустя. Оказалось, что те взрослые, которых отличали более развитые творческие способности в детстве, оказались более успешными в сферах деятельности, связанных с творчеством: музыке, живописи, драматургии и литературе.

Как помочь ребенку

Хотите, чтобы творческие способности вашего ребенка засияли ярче? Вот несколько советов, которые позволят создать дома более вдохновляющую атмосферу и стимулировать творческое начало ребенка.

- *Играйте!* Исследования показывают, что навыки игры — признак пробуждающихся творческих навыков ребенка. Стимулируйте у него привычку играть и исследовать независимо от того, чем конкретно вы занимаетесь. Подходите ко всему с предвкушением и любопытством — от игры в парке до изучения новой научной концепции.

- *Смейтесь.* Юмор стимулирует творческое начало. В одном исследовании творческие способности детей проверялись после того, как одной половине участников давали прослушивать смешные записи, а другой — нет. Первые значительно обошли вторых по результатам тестирования! Поддерживайте в семье легкую атмосферу — и у вашего ребенка лучше разовьются творческие способности.

- *Используйте универсальные игрушки.* В отличие от многих игрушек с заранее определенным способом использования, такие материалы, как бумага и фломастеры, пластилин и кубики, очень гибки. Всё зависит исключительно от воображения ребенка. Поэтому пусть они всегда присутствуют в вашем доме, а ребенок играет с ними. Тогда его творческие способности будут развиваться быстрее.

- *Играйте в завершение рисунка.* Задания на завершение рисунка, подобные описанному в этом эксперименте, могут стать обычными в ваших играх с ребенком. Изобразите любую линию и попросите его превратить ее в рисунок. Это превращает рисование в веселую интерактивную игру и очень стимулирует творческое развитие. Любой из предложенных здесь тестов творческих способностей может стать частью ваших повседневных занятий с ребенком!

- *Используйте творческие методы.* Теперь, зная некоторые конкретные критерии измерения творческих способностей (количество предложенных вариантов, их уникальность и степень детализации), вы можете использовать их для стимулирования развития ребенка. Скажем, можно генерировать множество вариантов решения повседневных проблем с последующим выбором одного из них. Или моделировать творческое поведение, стараясь предлагать как можно больше уникальных вариантов и тщательно прорабатывать их, а также поощрять ребенка делать то же самое.

Как помочь себе

Уверены, вы уже в курсе: быть родителями означает непрерывно вертеться, как белка в колесе. Поэтому лучший совет мы приберегли для вас напоследок.

Делайте паузы!

Всегда есть то, что вы *могли бы* сделать для ребенка: поддержать, прибрать, научить уму-разуму. Но иногда лучшим подарком будет не делать *ничего*. Если вы удержитесь от стремления непрерывно наставлять его на путь истинный, он сможет учиться и исследовать мир самостоятельно, что даст стимул его творческому развитию.

Всё еще не прониклись этой идеей? Хорошо, приведем пример.

Поведению детей после того, как взрослый даст им новую игрушку, было посвящено множество исследований. Некоторым детям объясняли, как она работает, другие получали ее без каких бы то ни было инструкций. Те дети, которым объясняли предназначение игрушки, использовали ее очень ограниченными способами, только так, как предполагалось. Те же счастливчики, которым игрушка досталась без объяснений, играли с ней гораздо более разнообразно и творчески, самостоятельно обнаруживая ее дополнительные возможности.

Знаете, как это называется?

Радость.

И несмотря на все усилия, которые вы предпринимаете, чтобы обеспечить успех вашего ребенка в будущем, именно *радость* — лучшее мерило успеха ребенка *сейчас*.

Подарите ее ребенку — и сможете вполне заслуженно похвалить себя за труды.

Отличная работа, мама и папа!

Так держать!

Мысли напоследок

В начале книги мы имели дело с расстроенным, беспомощным, совершенно сбитым с толку человеком.

Узнаёте в нем себя?

К счастью, сейчас вы, должно быть, чувствуете себя в качестве родителя гораздо увереннее. Надеемся, что описанные нами эксперименты сыграли в этом хотя бы небольшую роль. Некоторые продемонстрировали впечатляющую интеллектуальную мощь вашего малыша, другие позволили вам оценить его развивающиеся социальные навыки. И показали вам, что в каком-то смысле он знает гораздо больше — а в каком-то гораздо меньше, — чем вам казалось.

В целом эксперименты помогли вам увидеть, что за кажущимся непредсказуемым поведением ребенка скрывается определенная система. Поняв принципы мышления малыша, вы будете лучше чувствовать его, противостоять ему, оценивать, управлять им и, главное, стимулировать его. Поскольку, читая книгу, вы потратили столько времени на наблюдение за развитием своего ребенка и размышления о нем, есть высокая вероятность того, что и себе вы помогли развиться как родителю.

А это лучший результат, на который мог бы надеяться любой экспериментатор.

Удачи вам! Успехов в воспитании детей и продолжения экспериментов!

Благодарности

Спасибо нашим детям, Сэмми и Фредди, за то, что наполнили наши жизни смехом и любовью, научили нас всему, что мы на практике знаем о воспитании детей, и подсказали идею этой книги.

Спасибо родителям Энди — Мэри Джо и Джиму Анковски — за вашу поддержку, энтузиазм и чистый ежедневник, в который мы записывали свои идеи. Спасибо родителям Эмбер — Карен и Джеку Агияр — за любовь, помощь и время, проведенное с нашими детьми, благодаря чему мы смогли все это написать!

Спасибо нашей первой участнице Абигейл Каммингс за ее столь забавную и любопытную реакцию на эксперимент с ломанием печенья, вдохновивший нас на книгу. Спасибо Хизер и Стиву Уделл и Кристин и Терри Дэвис за то, что разрешили проводить частые эксперименты с участием ваших милых детей. Спасибо Хизер и Джейсону Агияр за постоянную поддержку наших творческих начинаний. Благодарим Николь и Робу Харвилла за идеи, воображение и энтузиазм, а еще за слова о том, что нам действительно *стоит* сделать это.

Спасибо нашим друзьям Джен и Абхиджаю Пракаш за веру и за то, что настояли на написании этой книги, а также Эшли и Ти-Джею Сокор, Али Баркеру, Меган Балтрузак, Дэйву Куперу, Эрике Шринивасан и Барри и Марле Шварц за то, что так щедро дарили нам свое время, опыт и дружбу, помогли сделать эту книгу лучше.

Спасибо коллегам и друзьям Эмбер, сыгравшим большую роль в создании этой книги, особенно Эмили Рассел, Вирджинии Хайн, Джи Сону, Хэйли Влачу, Мэриел Кайгер и Элизабет Дарвик, которые стали постоянным источником поддержки и вдохновения. Спасибо Кристии Браун за то, что помогла разобраться в издательском процессе. Спасибо наставникам Кэти Сэндхофер, Аарону Блэйсделлу, Скотту Джонсону и Патриции Гринфилд за то, что благодаря вашему обучению Эмбер стала достаточно компетентным исследователем, чтобы написать эту книгу.

Спасибо нашему агенту Уве Стендеру, который никогда не терял веру в нас и в нашу работу, а также Лизе Рирдон и всему коллективу Chicago Review Press за то, что эта книга увидела свет!

Библиография

Хотите почитать что-то научно-популярное о детском развитии? Мы дадим вам список самых популярных источников, которыми пользовались при написании своей книги. Если же вам интересен весь огромный массив научных статей, которые лежат в основе нашего экспериментального метода и приведенных в книге утверждений, пожалуйста, посетите наш сайт www.doctoranddad.com.

Бронсон П., Мерримен Э. Мифы воспитания. Наука против интуиции. М.: Манн, Иванов и Фербер, 2013.

Фабер А., Мазлиш Э. Как говорить, чтобы дети слушали, и как слушать, чтобы дети говорили. М.: Эксмо, 2015.

Eliot L. What's Going on in There?: How the Brain and Mind Develop in the First Five Years of Life. New York: Bantam Books, 1999.

Hoff E. Language Development. Belmont, CA: Wadsworth, 2009.

Lightfoot C., Cole M., Cole S. R. The Development of Children. New York: Worth Publishers, 2005.

Newman B. M., Newman P. R. Development Through Life: A Psychosocial Approach. Belmont, CA: Wadsworth Cengage Learning, 2009.

Siegler R. S., Wagner Alibali M. Children's Thinking. Upper Saddle River, NJ: Pearson Prentice Hall, 2005.

Максимально полезные
книги от издательства
«Манн, Иванов и Фербер»

Об издательстве

Как все начиналось

Мы стартовали в июне 2005 года с двумя книгами. Первой стала «Клиенты на всю жизнь» Карла Сьюэлла, второй — «Маркетинг на 100%: ремикс». «Доброжелатели» сразу же завертели пальцами у виска: зачем вы выходите на этот рынок? Вам же придется бороться с большими и сильными конкурентами!

Отвечаем. Мы создали издательство, чтобы перестать переживать по поводу того, что отличные книги по бизнесу не попадают к российским читателям (или попадают, но не ко всем и зачастую в недостойном виде). Весь наш опыт общения с другими издательствами привел нас к мысли о том, что эти книги будет проще выпустить самим.

И с самого начала мы решили, что это будет самое необычное издательство деловой литературы — начиная с названия (мы дали ему наши три фамилии и готовы отвечать за все, что мы делаем) и заканчивая самими книгами.

Как мы работаем

— Мы издаем только те книги, которые считаем самыми полезными и самыми лучшими в своей области.

— Мы тщательно отбираем книги, тщательно их переводим, редактируем, публикуем и активно продвигаем (подробнее о том, как это делается, вы можете прочитать на сайте нашего издательства mann-ivanov-ferber.ru в разделе «Как мы издаем книги»).

— Дизайн для наших первых книг мы заказывали у Артемия Лебедева. Это дорого, но красиво и очень профессионально. Сейчас мы делаем обложки с другими дизайнерами, но планка, поднятая Лебедевым, как нам кажется, не опускается.

Мы знаем: наши книги помогают делать вашу карьеру быстрее, а бизнес — лучше.

Для этого мы и работаем.

С уважением,
Игорь Манн,
Михаил Иванов,
Михаил Фербер

Где купить наши книги

Специальное предложение для компаний

Если вы хотите купить сразу более 20 книг, например для своих сотрудников или в подарок партнерам, мы готовы обсудить с вами специальные условия работы. Для этого обращайтесь к нашему менеджеру по корпоративным продажам: +7 (495) 792-43-72, b2b@mann-ivanov-ferber.ru

Книготорговым организациям

Если вы оптовый покупатель, обратитесь, пожалуйста, к нашему партнеру — торговому дому «Эксмо», который осуществляет поставки во все книготорговые организации.

142701, Московская обл., Ленинский р-н, г. Видное, Белокаменное ш., д. 1; +7 (495) 411-50-74, reception@eksmo-sale.ru

Санкт-Петербург
ООО «СЗКО», 193029,
г. Санкт-Петербург,
пр-т Обуховской Обороны, д. 84, лит. «Е»;
+7 (812) 365-46-03/04, server@szko.ru

Нижний Новгород
Филиал ТД «Эксмо» в Нижнем Новгороде
603074, г. Нижний Новгород,
ул. Маршала Воронова, д. 3;
+7 (831) 272-36-70, 243-00-20, 275-30-02,
reception@eksmonn.ru

Ростов-на-Дону
ООО «РДЦ Ростов-на-Дону»,
344091, г. Ростов-на-Дону,
пр-т Стачки, д. 243а;
+7 (863) 220-19 34, 218-48 21, 218-48 22,
info@rnd.eksmo.ru

Самара
ООО «РДЦ Самара», 443052,
г. Самара, пр-т Кирова, д. 75/1, лит. «Е»;
+7 (846) 269-66-70 (71…79),
RDC@samara.eksmo.ru

Екатеринбург
ООО «РДЦ Екатеринбург»,
620007, г. Екатеринбург,
ул. Прибалтийская, д. 24а;
+7 (343) 378-49-45 (46…49)

Новосибирск
ООО «РДЦ Новосибирск»,
630105, г. Новосибирск, ул. Линейная, д. 114;
+7 (383) 289-91-42,
eksmo-nsk@yandex.ru

Хабаровск
Филиал РДЦ Новосибирск в Хабаровске,
680000, г. Хабаровск,
пер. Дзержинского, д. 24, лит. «Б», оф. 1;
+7 (4212) 21-83-81,
eksmo-khv@mail.ru

Казахстан
«РДЦ Алматы», 050039,
г. Алматы, ул. Домбровского, д. 3а;
+7 (727) 251-58-12, 251-59-90 (91, 92, 99),
RDC-Almaty@mail.ru

 Если у вас есть замечания и комментарии к содержанию, переводу, редактуре и корректуре, то просим написать на be_better@m-i-f.ru, так мы быстрее сможем исправить недочеты.

ДЛЯ НОВЫХ ИДЕЙ

ДЛЯ НОВЫХ ИДЕЙ

ДЛЯ НОВЫХ ИДЕЙ

Эмбер **Анковски**
Энди **Анковски**

Что у него в голове?
Простые эксперименты,
которые помогут родителям понять своего ребенка

Главный редактор *Артем Степанов*
Руководитель направления *Анастасия Кренёва*
Ответственный редактор *Юлия Потемкина*
Литературный редактор *Ольга Свитова*
Иллюстратор *Наталья Гаврилова*
Дизайнер обложки *Сергей Хозин*
Верстка *Вячеслав Лукьяненко*
Корректор *Юлия Молокова*

Подписано в печать 10.11.2015.
Формат 60×84 $^1/_{16}$. Гарнитура Minion
Бумага офсетная. Печать офсетная.
Усл. печ. л. 14,0.
Тираж 2500. Заказ О-3455.

ООО «Манн, Иванов и Фербер»
mann-ivanov-ferber.ru
facebook.com/mifbooks
vk.com/mifbooks

Отпечатано в "ПИК «Идел-Пресс», филиал АО «ТАТМЕДИА»"
420066, г. Казань, ул. Декабристов, 2
e-mail: id-press@yandex.ru
www.idel-press.ru